Gilles d'Ambra

BOOSTEZ VOTRE SEXUALITÉ

MES P'TITS MARABOUT

PRÉFACE

On a longtemps cru que le sexe se réduisait à un simple instinct animal. Aujourd'hui, de nombreux travaux menés par des biologistes, des anthropologues, des psys, des sociologues spécialistes de la séduction, du plaisir ou du couple dans le domaine de la sexualité semblent prouver le contraire : on peut parler d'intelligence sexuelle de la même façon que l'on parle d'intelligence rationnelle ou d'intelligence émotionnelle.

Comment la définit-on ? Essentiellement comme une aptitude à la fois mentale et corporelle qui implique la capacité à avoir une sexualité épanouie, mais également à construire des relations durables. Ce n'est pas seulement une capacité intuitive, une aptitude au plaisir ou une faculté étroitement technique. À ce titre on peut la développer.

Comprendre son moi sexuel, se connecter intimement avec les autres, réinventer sa sexualité et lui donner un sens, voilà ce que vous propose ce livre. En répondant à la plupart des questions que les femmes et les hommes se posent sur leur sexualité, il vous permet de faire un diagnostic complet de votre intelligence sexuelle et vous présente des solutions pour la « booster ».

SOMMAIRE

DÉCRYPTER SON MOI SEXUEL

Chapitre 1

♀

Votre aptitude au plaisir

1. Vous êtes attirée par un certain type d'homme.

Jamais	Rarement	Parfois	Souvent	Toujours
1	2	3	4	5

2. Vous avez du mal à avoir un orgasme.

1	2	3	4	5

3. Vous vous levez dès que vous avez fini de faire l'amour.

1	2	3	4	5

4. Vous perdez vos moyens quand vous êtes amoureuse.

1	2	3	4	5

5. Vous n'aimez pas être « en dessous ».
1 2 3 4 5

6. Vous n'aimez pas les rapports sexuels qui durent longtemps.
1 2 3 4 5

7. Vous pensez n'avoir plus rien à apprendre sexuellement.
1 2 3 4 5

8. Vos rapports sexuels se déroulent selon le même scénario.
1 2 3 4 5

9. Vous avez tendance à prendre les initiatives.
1 2 3 4 5

10. Vous avez connu de longues périodes de chasteté.
1 2 3 4 5

11. Vous avez plus de plaisir quand c'est purement sexuel.
1 2 3 4 5

12. Vous pensez qu'il faut assurer sexuellement.
1 2 3 4 5

13. Vous êtes plutôt contente de vos performances sexuelles.
1 2 3 4 5

14. Vous avez déjà eu peur de ne pas être à la hauteur.
1 2 3 4 5

15. Vous avez la vague impression de ne pas être tout à fait « normale ».
1 2 3 4 5

16. Vous préférez mener les ébats.
1 2 3 4 5

17. Ça vous ennuie de faire l'amour.
1 2 3 4 5

18. Vous êtes plutôt du genre angoissée.
1 2 3 4 5

19. Vous avez tendance à vous sentir coupable.
1 2 3 4 5

20. Vous vous sentez plutôt clitoridienne.
1 2 3 4 5

Votre rapport au sexe

Additionnez l'ensemble des points obtenus et reportez-vous au profil qui vous correspond.

Moins de 40 points : nature

Une conception très saine du sexe et de la sexualité. Vous êtes très vraie dans vos amours. Un peu trop vraie parfois : vous avez tendance à confondre les embrasements des sens et ceux des sentiments, à voir un peu trop facilement l'amour là où il n'y a qu'une forte attirance sexuelle. Sans complexes ni complications, vous manquez souvent aussi de nuances, et vous brûlez ce que vous avez adoré.

Entre 41 et 60 points : vrais sentiments, vraies sensations

Vous ne trichez pas avec les choses de l'amour même quand vous faites un peu semblant. Le désir, vous le savez, a besoin d'artifices. Il n'y a pas d'amours qui durent sans jeux de séduction. Votre palette sentimentale est très nuancée, vos pratiques ne manquent pas de subtilités. Vous êtes capable de conjuguer tendresse et passion à tous les temps d'une relation.

Entre 61 et 80 points : peur de l'échec

Vous avez souvent du mal à concilier sexe et tendresse. Vous passez plus facilement à l'acte quand vous n'imaginez pas de vrais sentiments (genre durables). Vous vous embarquez quelquefois dans des amours impossibles. Là au moins vous êtes sûre (inconsciemment) de ne pas trop vous impliquer, de moins souffrir en cas d'échec. La conjugalité vous fait perdre à plus ou moins long terme tout désir sexuel.

Plus de 80 points : en crise

Votre sexualité est déglinguée, trop chaste ou dans la surconsommation. Vous alternez les périodes de dégoût et de boulimie. Vous êtes plutôt mal dans votre peau, incapable de dire si l'on vous désire pour votre corps, par habitude, ou sincèrement. Chaque rencontre provoque plus d'angoisse que d'espoirs. Votre couple, si couple il y a, laisse de moins en moins de place au rêve et de plus en plus aux doutes.

Chapitre 2

♀

Votre valeur en sexe

Votre potentiel séduction

1. Physiquement, vous ressemblez plutôt à :

Sharon Stone.. + 8 pts
Ségolène Royal...................................... + 5 pts
Lara Fabian... – 3 pts
Line Renaud... – 5 pts
Amélie Mauresmo..................................... – 4 pts
Lætitia Casta....................................... + 5 pts
Muriel Robin.. – 10 pts
Pavarotti... – 5 pts

2. Vos cheveux sont :
blonds (vénitien), noirs (aile de corbeau), auburn + 10 pts
châtains, bruns (standard) .... - 2 pts
rouge carotte, blonds pisseux, bleus, verts ...... - 8 pts
roux (naturel) .... + 2 pts

3. Vous avez des yeux
verts, bleus ou dorés............................ + 10 pts
marrons .... - 2 pts
rouges (injectés)............................... - 10 pts
globuleux.. - 3 pts

4. Votre bouche ressemble à celle de :
Cameron Diaz
(grande, lèvres charnues, bien dessinées) ...... + 10 pts
Philippe Bouvard
(petite, ronde, en cul de poule)................. - 5 pts
Élisabeth Guigou
(petite, lèvre supérieure plus fine) .... - 3 pts
Sim
(grande, lèvres fines en lame de couteau) .... - 8 pts

5. Quand vous souriez, on peut voir :
vos gencives .... - 10 pts

des dents en or . . . . – 3 pts
de la nicotine. . . . . – 4 pts
de la salade . . . . – 2 pts
des dents à peu près blanches . . . . + 10 pts

6. Votre teint est :
un peu terne . . . . – 2 pts
assez lumineux . . . . + 2 pts
un peu verdâtre. . . . . – 5 pts

7. Vous avez tout le temps :
des lunettes (de vue) . . . . – 2 pts
les ongles rongés . . . . – 5 pts
des mains impeccables . . . . + 10 pts
des boutons sur la figure. . . . . – 10 pts
les cheveux gras . . . . – 3 pts

Votre score

Comptez votre nombre de points. Divisez par 3, vous obtenez une note sur 20.

Votre sensibilité libidinale

1. La première fois que vous avez fait l'amour, vous étiez :
pas amoureuse du tout .... – 1 pt
un peu ou assez amoureuse........................ + 1 pt
très (passionnément) amoureuse .... + 2 pts

2. Que regardez-vous en premier chez un homme ?
ses yeux.. + 2 pts
son sourire .... + 1 pt
sa carrure .... 0 pt
ses fesses .... – 1 pt
le renflement de son pantalon .... – 2 pts

3. Le premier geste qui vous fait craquer :
il vous prend par la main.......................... + 2 pts
il vous caresse les cheveux........................ + 1 pt
il vous embrasse dans le cou .... + 2 pts
il vous caresse l'épaule .... + 1 pt
il vous embrasse sur la bouche .... – 1 pt
il vous met la main dans la culotte .... – 2 pts

4. Sexuellement, pour vous sentir à (peu près à) l'aise avec un homme, vous avez besoin de :
cinq minutes .... – 2 pts
quelques heures .... + 1 pt
quelques jours....................................... + 2 pts
plusieurs semaines................................... – 2 pts
plusieurs années..................................... – 2 pts

5. Ça vous est déjà arrivé pendant un orgasme :
d'éjaculer comme un homme .... + 2 pts
de vous évanouir..................................... + 1 pt
de voir Dieu .... – 1 pt
de faire pipi sous vous .... – 1 pt
de réveiller les voisins .... + 1 pt
de pleurer... + 2 pts

6. Vous aimez dire ou entendre des « mots cochons » pendant l'amour.
Oui.. + 2 pts
Non .... 0 pt

7. Vous êtes gênée d'avoir à prononcer le mot « clitoris ».
Oui.. – 1 pt
Non .... + 2 pts

8. Ça vous dégoûterait de faire l'amour dans une baignoire remplie :
d'huile d'olive (première pression à froid) .... – 1 pt
de lait entier (sorti du pis de la vache ou de celui de la chamelle) .... -2 pts
de Dom Pérignon
(ou, à défaut, de Champomy) .... + 1 pt
d'une omelette géante bien glaireuse
(avant cuisson) .... + 2 pts
de yaourt à la fraise (avec morceaux)............ + 1 pt

9. Le préservatif, vous préférez quand il est :
normal .... 0 pt
technicolor .... + 1 pt
parfumé...................................... + 1 pt
avec des petits picots .... + 2 pts

10. Vous avez déjà exécuté un striptease avant de faire l'amour.
Oui .... + 2 pts
Non.. 0 pt

Votre score

Faites le total de vos points : vous obtenez une note sur 20.

Vos capacités physiques

1. Grimper à la corde, vous trouvez que c'est facile.
Oui. . . . . + 2 pts
Non . . . . – 1 pt

2. En bougeant votre bassin (sans bouger les pieds), vous êtes capable de faire :
des zéros . . . . 0 pt
des huit . . . . + 2 pts
de basculer de 10 cm de l'arrière en avant . . . . 0 pt
de basculer de 20 cm d'avant en arrière . . . . + 1 pt
la danse du ventilateur (reins cambrés, fesses pointées, balancer le postérieur sur un arc de cercle de 180 °) . . . . + 2 pts

3. Debout, pieds joints, jambes tendues, quand vous vous baissez, vous arrivez à :
toucher vos genoux avec vos mains . . . . – 2 pts
attraper vos chevilles. . . . . 0 pt
toucher vos pieds . . . . + 1 pt
poser vos mains à plat par terre . . . . + 2 pts

4. À condition d'être échauffée, vous êtes capable de faire :
le grand écart .... + 2 pts
une fourche avant .... + 1 pt
un pont arrière .... + 1 pt
passer votre jambe derrière votre tête .... + 2 pts

5. Quand vous grimpez cinq étages à pied, vous arrivez :
fraîche comme une rose .... + 2 pts
un peu essoufflée................................ – 1 pt
en sueur.. – 2 pts
au bord de l'asphyxie.......................... – 2 pts

Votre score

Comptez vos points. Multipliez le nombre obtenu par 2 pour avoir votre note sur 20.

Vos performances au lit

1. Vous avez :
moins de 18 ans .... – 2 pts
entre 18 et 25 ans .... + 6 pts
entre 25 et 35 ans............................. + 10 pts

entre 35 et 45 ans . . . . + 4 pts
entre 45 et 55 ans . . . . – 4 pts
plus de 55 ans. . . . . – 10 pts

2. Vous fumez :
moins de 5 cigarettes par jour . . . . – 1 pt
de 5 à 10. . . . . – 2 pts
de 11 à 20 . . . . – 5 pts
plus de 20 . . . . – 10 pts
vous ne fumez pas . . . . + 4 pts

3. Vous faites l'amour :
une fois par jour (ou plus) . . . . + 10 pts
deux ou trois fois par semaine . . . . + 3 pts
de quatre à six fois par semaine. . . . . + 5 pts
une fois par semaine (ou moins). . . . . – 10 pts

4. Votre record d'orgasmes en une nuit :
vous n'avez jamais eu d'orgasme . . . . – 5 pts
peut-être un. . . . . 0 pt
sûrement un ou deux . . . . + 3 pts
deux ou trois . . . . + 5 pts
plus de 3. . . . . + 10 pts

5. Combien de positions avez-vous essayées ?
entre une et trois .... – 5 pts
entre quatre et six .... 0 pt
entre sept et dix.................................... + 5 pts
plus de dix .... + 10 pts

6. Dans combien de lieux différents (chambre, cuisine, salle de bains, ascenseur, voiture...) avez-vous déjà fait l'amour ?
entre un et trois .... – 5 pts
entre quatre et six .... 0 pt
entre sept et dix.................................... + 5 pts
plus de dix .... + 10 pts

7. Pour vous, faire une fellation, c'est :
souvent un grand plaisir .... + 10 pts
plus pour faire plaisir............................... 0 pt
plutôt une obligation .... – 5 pts
beurk ! .... – 10 pts

8. La sodomie :
vous trouvez ça répugnant (ou terrifiant) .... – 3 pts
vous aimeriez tenter le coup un jour.............. 0 pt
vous avez déjà essayé.............................. + 3 pts
vous aimez bien de temps en temps .... + 5 pts

9. Vous avez parfois des orgasmes dans votre sommeil ?
Oui. . . . . + 10 pts
Non . . . . 0 pt

10. Vous déjà fait l'amour avec une autre femme ?
Oui. . . . . + 3 pts
Non . . . . 0 pt

11. Vous êtes capable d'enfiler un préservatif avec votre bouche (et dans le bon sens).
Oui. . . . . + 3 pts
Non . . . . – 3 pts

12. Vous avez souvent des orgasmes en même temps que votre partenaire ?
Oui. . . . . + 5 pts
Non . . . . – 2 pts

13. Quand vous faites l'amour, c'est déjà arrivé que tous les chiens du quartier se mettent à hurler ?
Oui. . . . . + 10 pts
Non . . . . 0 pt

Votre score

Comptez vos points. Divisez la somme obtenue par 5 : vous trouvez votre note sur 20.

Votre connaissance de la sexualité masculine

Leur anatomie

1. Leur première érection, ils l'ont :
a. au stade du fœtus
b. avant 7 mois
c. entre 6 et 8 ans
d. à la puberté (12-13 ans)

2. 72 battements par minute pour les hommes, 78 pour les femmes, en temps normal. Pendant l'orgasme, leur rythme cardiaque peut monter jusqu'à :
a. 120 battements/minute
b. 135 battements/minute
c. 150 battements/minute
d. 165 battements/minute
e. 180 battements/minute

3. À quel niveau ont-ils le plus de terminaisons nerveuses érogènes ?
a. du gland
b. de la pointe des seins
c. de la verge
d. des testicules
e. de l'anus
f. de l'oreille
g. de la plante des pieds

4. À l'état flaccide, un pénis d'homme mesure en moyenne :
a. entre 6 et 10,5 cm
b. entre 8 et 13,5 cm
c. entre 8,25 et 12 cm
d. entre 9 et 16 cm

5. ... et en érection :
a. entre 11,5 et 16,3 cm
b. entre 12,4 et 21 cm
c. entre 14 et 19,5 cm
d. entre 15,9 et 19,7 cm
e. entre 17 et 24,5 cm

6. En érection, le pénis d'un homme de 30 ans fait avec son bas-ventre un angle de :
a. 45 °
b. 60 °
c. 90 °
d. 105 °

7. Sexuellement, ils sont au mieux de leurs moyens à :
a. 18 ans
b. 20 ans
c. 25 ans
d. 30 ans
e. 35 ans

Leurs performances

8. Pour éjaculer, leur pénis doit être dur.	V	F
9. Ils peuvent vous faire un bébé en faisant l'amour sans éjaculer.	V	F
10. Un homme a un orgasme chaque fois qu'il éjacule.	V	F
11. Un homme a 11,3 partenaires dans sa vie en moyenne.	V	F
12. La durée moyenne d'un rapport sexuel en France est de 18,8 minutes.	V	F
13. Le record du monde masculin est actuellement de 13 orgasmes en 2 heures.	V	F
14. En pesant les testicules de différentes espèces, des scientifiques américains ont calculé que les hommes étaient moins fidèles que des gibbons mâles.	V	F

Leurs préférences

15. La majorité des hommes craquent plutôt sur le look :
a. sauvageonne
b. star

16. Deux hommes sur trois trouvent désagréable le contact avec le sang menstruel.
a. Vrai.
b. Faux.

17. Un homme sur deux seulement trouve agréable le contact avec les sécrétions vaginales.
a. Vrai.
b. Faux.

18. Seulement 36 % des hommes préféreraient être petits en taille mais avoir un sexe d'une dimension supérieure à la moyenne.
a. Vrai.
b. Faux.

19. La femme dessus, c'est la position plébiscitée par la majorité des hommes s'ils devaient n'en choisir qu'une pour toute la vie.
a. Vrai.
b. Faux.

20. Quelles sont les trois femmes qu'ils trouvent le plus sexy, dans l'ordre :
a. Sharon Stone, Demi Moore, Madonna
b. Sharon Stone, Lætitia Casta, Demi Moore
c. Lætitia Casta, Sophie Marceau, Madonna
d. Madonna, Sharon Stone, Lætitia Casta

Votre score

Comptez 1 point par bonne réponse.
Anatomie : 1 a, 2 e, 3 c, 4 c, 5 a, 6 b, 7 b
Performances : 8 F, 9 V, 10 F, 11 V, 12 V, 13 V, 14 V
Préférences : 15 a, 16 a, 17 a, 18 a, 19 a, 20 a
Vos connaissances sur la sexualité masculine : ... /20

Le moment de vérité

Additionnez tous les points que vous avez obtenus :

Moins de 20 points : vous êtes une « froide »

Autant dire une grande novice, ou alors très empotée, voire vaguement frigide (surtout si vous êtes plus proche de zéro point). Au lit, vous êtes parfois limite du poids mort. Bon, avouez ! Vous avez 13 ans ? Ce n'est pas le cas ? Alors, il ne reste plus que deux options. Soit le sexe ne vous a jamais intéressée (après tout, c'est votre droit) : vous vivez dans un monastère, vous faites partie des 30 % de Françaises qui avouent avoir rarement, ou n'avoir jamais, d'orgasme, des 64 % qui trouvent qu'une fois par semaine, c'est largement suffisant. Soit c'est la conséquence d'une éducation hyper rigide. Chez vous, le sexe sent vaguement le soufre. Vous êtes déjà coupable en fantasmant lascivement. Vous avez toujours un peu (ou beaucoup) honte de votre corps, de vos envies, et vous êtes facilement dégoûtée par celui et celles des autres. De toute façon, vous n'êtes pas à l'aise. Bourrée de complexes ou d'inhibitions, vous ne savez pas comment vous y prendre pour faire votre plaisir et celui d'un homme. Sortie de la position du missionnaire, vous bloquez sur presque tout. Pas question de vous faire découvrir les bonheurs de Sodome et Gomorrhe. Difficile de vous faire chavirer dans des abîmes de jouissance. Côté positif de la chose : vous venez de progresser de 300 % simplement en répondant aux questions des tests précédents – au moins théoriquement. Ensuite, tout n'est qu'une question d'entraînement.

L'homme qu'il vous faut

1. Un grand novice, comme vous, fraîchement émoulu d'une école de jésuites, pour apprendre tout ensemble. Avantage : vous en savez plus que lui car vous avez fait les tests. Inconvénient : votre initiation à deux risque de vous prendre du temps, car vous serez obligés de procéder par essais-erreurs.

2. Un expert, nettement plus âgé que vous. Plus le décalage (au minimum 10 ans) sera grand, moins vous serez embarrassée par votre inexpérience. Avantage : vous ferez des progrès très rapides. Inconvénient : vous risquez de devenir accro et de ne plus pouvoir vous passer de lui.

Entre 20 et 49 points : vous êtes une « tiède »

Entendons-nous bien ! Vous avez du succès, vous faites des conquêtes, vous croyez assurer parce que vous prenez souvent l'initiative de la drague et du plaisir. Côté corps, vous avez un minimum de complexes, vous êtes même parfois franchement provocante. N'empêche, vous n'avez pas la moyenne. Deux explications à cela. Soit vous faites l'amour souvent sans en avoir vraiment envie, pour faire comme tout le monde, ne pas avoir l'air gourde ou passer pour une oie blanche. Mais au fond, vous avez un peu peur du sexe, de jouir vraiment. Au plus fort de vos ébats, vous restez toujours spectatrice, vous ne vous laissez jamais vraiment aller. Une preuve : vous préférez contrôler (en étant dessus, en prenant l'initiative...). Résultat : vous remplacez souvent la qualité par la quantité (façon Catherine Millet). Soit vous manquez de pratique, vous avez un gros retard à rattraper car vous avez été trop longtemps coupée du monde (naufragée sur une île déserte, gardienne de phare, prisonnière d'un Loft Story, résidente permanente sur la station Mir...). Dans ce cas, vous faites probablement partie des 34 % de femmes qui aimeraient avoir envie de faire l'amour plus souvent. Pour vous réchauffer, c'est simple. Commencez par voir où vous avez séché. Dans quel(s) test(s) et quelle(s) partie(s) de test avez-vous obtenu vos plus mauvais résultats ? Ensuite, prenez vos points faibles un par un et entraînez-vous. Pour le « code », c'est facile : on vous a mâché le travail. Pour la « conduite », vous devez avoir un bon partenaire.

L'homme qu'il vous faut

1. Votre copain

Inutile de courir ailleurs si vous avez à la maison un homme qui ne demande pas mieux que d'avoir avec vous une vie sexuelle plus riche et plus intense. Avantage : en faisant l'amour tous les jours avec la même personne, cela vous oblige à vous renouveler, à rester sexuellement créative. Inconvénient : au bout de dix ans, vous risquez d'avoir épuisé toutes vos ressources respectives et de tourner à vide.

2. Un amant

À condition d'en changer fréquemment (au moins deux fois par an), sinon vous vous retrouverez très vite dans le cas n° 1. Avantage : vous faites avec lui des choses qui ne vous viendraient même pas à l'idée avec votre mari (par exemple, jouer avec un cigare) et vous découvrez chaque fois des pratiques différentes. Inconvénient : lassé par vos frasques à répétition, votre homme vous largue et/ou vous épousez votre amant du moment.

Entre 50 et 79 points : vous êtes une « chaude »

Tableau d'honneur pour vous. Parfois de justesse si vous avoisinez les 50 points. Est-ce la faute d'une éducation un peu prude ou d'une expérience très limitée ? Peu importe. Dans ce domaine, ce n'est pas la peine de pouvoir jouer les grandes dessalées ou d'exécuter avec brio les 529 positions du Kama-Soutra. L'essentiel, c'est d'aimer le sexe. C'est votre cas. Vous n'êtes pas forcément accro. Vous pouvez vous passer de faire l'amour pendant une semaine, un mois, un an. Le sexe pour le sexe, ce n'est pas votre idéal. Vous avez besoin d'aimer pour vous abandonner. Mais quand ça vous arrive, vous êtes plutôt du genre déchaînée. Bien sûr, vous avez vos pudeurs (follement excitantes), vous ne faites pas tout. Mais vous ne chipotez pas sur vos plaisirs. Bref, vous assurez sans avoir besoin d'en faire trop. Vous n'avez plus à prouver (ni à vous ni aux hommes) votre sensualité. Cela dit, côté sexe, ne pas avancer, cela revient à reculer. Alors, ne vous endormez pas sur vos lauriers. Vous avez forcément appris deux-trois petites choses en jouant avec nous. Maintenant vous pouvez passer aux travaux pratiques avec votre compagnon préféré.

L'homme qu'il vous faut

1. Un macho tranquille

À la fois homme sensuel, sans complexes et père. À votre niveau d'évolution, vous êtes exigeante et vous avez besoin d'un partenaire qui assure sexuellement. D'un autre côté, quand on est bien dans sa peau comme vous, on a envie de se reproduire et de fonder une famille. Avantages : ceux du 2 en 1. Vous n'êtes pas obligée de courir ailleurs parce qu'il vous manque quelque chose à la maison. Inconvénient (mais en est-ce vraiment un ?) : la monogamie à vie.

2. Un adepte de l'amour tantrique

Vous avez presque tout vu, tout connu, à part peut-être les joies du mariage. Qu'est-ce qu'il vous reste à découvrir, sans vous égarer dans des pratiques d'extrême sexe telle que le sado-masochisme hard ou l'amour à plusieurs ? Réponse : le sexe mystique. Avantage : vous aurez des orgasme cosmiques. Inconvénient : une fois que vous aurez connu cela, vous vous ennuierez en faisant l'amour comme tout le monde.

80 points et plus : vous êtes une « chaude bouillante »

Bravo, presque un sans faute, surtout si vous êtes plus proche des 100 points. Pas de doute, le sexe joue un rôle important dans votre existence. Chez vous, c'est une passion physique, mais également un besoin. Au bout d'une semaine sans, vous êtes au bord de la crise de nerfs, en coup de blues dépassé. Pas de fausses pudeurs ou de complexe donc. Quand un homme vous plaît, vous ne vous racontez pas de niaiseries romantiques pour le mettre dans votre lit. Forcément, vous avez de l'expérience. Vous avez (presque) tout vu et tout connu. Il ne vous reste plus grand-chose à apprendre – surtout pas quand il s'agit de faire plaisir à un homme. Vous savez d'instinct. Ni blocage, ni dégoût, vous faites tout et souvent mieux que les autres. Jeux de mains, Jeux de langue, succions, mordillements, vous êtes douée pour toutes les caresses, les plus douces comme les plus griffues, les plus « innocentes » comme les plus scabreuses. Avec vous, un homme se retrouve vite bavant de désir (façon loup de Tex Avery) ou réduit à l'état de loque sexuelle.

L'homme qu'il vous faut

1. Un homme virtuel

Les autres, vous les connaissez déjà tous. À la fin, ils finissent par se ressembler. Passées les premières minutes, l'excitation de la découverte, ils n'arrivent pas à capter durablement votre attention. Avantage : il vous fait rêver puisque vous ne pouvez pas le posséder physiquement. Inconvénient : trois jours de chasteté vous donnent la migraine.

2. Un bouddha

Quand on peut avoir tous les hommes comme vous, le plus désirable est toujours celui qu'on sait qu'on n'aura jamais. Avantage : vous refaire une virginité et obtenir le pardon de tous vos péchés. Dieu sait que vous en avez besoin. Inconvénient : trois jours de chasteté vous donnent la migraine.

Chapitre 3

♂

Vos pulsions sexuelles

❐ Vous pratiquez un sport violent (rugby, boxe...) .... (A)

❐ Vous aimez bien les trucs qui font peur (montagnes russes, saut à l'élastique...)..................................(P)

❐ On dit souvent de vous que vous êtes très ambitieux (et vous êtes plutôt d'accord) ....(S)

❐ Vous êtes hypersensible à la douleur (vous ne supportez pas les piqûres, vous avez peur d'aller chez le dentiste...) . (P)

❐ Passer un concours, dégoter un super job, séduire une fille inaccessible..., les difficultés ont plutôt tendance à vous stimuler .... (A)

❒ Vous vous créez facilement des habitudes et vous avez souvent beaucoup de mal à en changer ....(S)

❒ On vous a souvent reproché de vous montrer un peu trop gentil ....(O)

❒ Vous repensez souvent (avec un peu ou beaucoup de nostalgie) à votre enfance ....(S)

❒ Après un bon repas, vous éprouvez un certain plaisir à digérer .... (O)

❒ Vous êtes très sensible aux compliments (ça vous énerve quand on ne vous en fait pas) ....(P)

❒ Vous avez du mal à rester sans rien faire ; vous vous débrouillez pour être continuellement occupé ....(A)

❒ Vous êtes très susceptible ; vous ne supportez pas les mises en boîte ....(S)

❒ Vous « rebondissez » plutôt bien (et vite) après un échec (scolaire, professionnel) ....(A)

❒ Vous aimeriez bien faire de nouvelles rencontres ...... (P)

❒ Vous êtes plutôt d'humeur égale ....(S)

❒ Vous êtes capable de faire preuve d'autorité quand c'est nécessaire (et même quand ça ne l'est pas vraiment) .... (A)

❒ Vous aimez avoir votre confort. Vivre à la dure (camping sauvage, squatt...), ce n'est pas vraiment votre truc ..... (O)

❒ Rendez-vous, boulot à rendre, vous avez toujours un mal fou à être ponctuel. .... (O)

❒ Après une perte (rupture sentimentale, mort de votre chien...), vous vous consolez assez rapidement .... (O)

❒ Vous avez beaucoup de sens pratique (pour planter un clou, improviser un dîner pour six personnes alors que vous êtes fauché...) .... (S)

❒ Vous pouvez travailler (bien) en écoutant de la musique. .... (P)

❒ Vous avez beaucoup d'amis ; tout le monde vous aime (les hommes, les femmes, les enfants, la voisine, son chien) . (P)

❒ Vous pouvez bosser douze heures d'affilée quand vous êtes motivé .... (A)

❒ Vous avez d'excellents réflexes ; vous cassez (objets, os...) peu. .... (P)

❒ Vous allez rarement jusqu'au bout de ce que vous avez commencé .... (O)

❒ Vous avez souvent du mal à vous réveiller le matin ; vous avez besoin de temps pour être opérationnel............(O)

❒ Vous n'aimez pas manger seul .... (P)

❒ Vous préférez les sports de compétition (pour pratiquer ou juste pour regarder)..............................(P)

❒ Vous vous sentez vite assez mal à l'aise quand vous êtes dans une foule ....(S)

❒ Vous prenez souvent des initiatives .... (A)

❒ Vous avez du mal à vous endormir .... (A)

❒ Quand vous avez quelque chose à faire de désagréable, vous attendez souvent la dernière minute..............(O)

Vos résultats

Majorité de A et de P : type impulsif

Moteur : le besoin d'action
Dominante affective : la frustration. Même quand tout va à peu près bien, vous restez insatisfait. Cela crée en vous des tensions qui deviennent vite insupportables : vous avez besoin de passer à l'acte pour les décharger. En réalité, vous cherchez moins à vous faire plaisir qu'à arrêter de souffrir. Comme un enfant tant qu'il est dans le principe du plaisir, vous êtes incapable d'ajourner vos réactions : vous agissez au lieu de penser.

Point fort : l'importance accordée à l'autre. Comme pour tous les pulsionnels, la plus grande partie de votre libido est tournée vers les autres. Dixit Freud : « Aimer, mais spécialement être aimé, est pour eux le plus important. Ils sont ainsi particulièrement dépendants des autres qui peuvent les frustrer de cet amour. »

Handicap : les rapports conflictuels. D'un côté vous avez tendance à réagir aux frustrations par la violence, mais de l'autre vous avez tendance à réprimer toute agressivité à cause du risque de perte d'amour. D'où des rapports de force permanents avec vos partenaires.

Majorité de A et de S : type refoulé

Moteur : le besoin de domination
Dominante affective : la culpabilité. Dans votre inconscient, toute pulsion est en soi une transgression pouvant vous faire courir un risque qui menacerait votre sécurité et votre moi. Il s'ensuit un blocage des affects (vous éprouvez peu d'envies sexuelles ou autres), un sentiment d'auto-insécurité chronique (vous avez peur d'être envahi et débordé par vos pulsions) et une forte anxiété face au changement, à l'inconnu ou à la nouveauté, toutes choses qui accroissent les risques de tentation et le danger de « craquer ».

Point fort : le sérieux. Comme vous privilégiez les valeurs du surmoi (contrôle des pulsions, sens moral), votre plaisir est toujours associé à des sentiments de culpabilité, et l'essentiel de vos pulsions est déplacé et investi dans des activités valorisantes et socialement utiles : le travail, l'amitié, la famille, etc.

Handicap : la rigidité. Dominé par la culpabilité, vous êtes souvent prisonnier de vos propres contraintes : vous sacrifiez beaucoup au principe de réalité (peu de plaisirs, et toujours très contrôlés), vous avez tendance à bloquer en cas d'imprévu et à paniquer dans les situations d'urgence au lieu de vous adapter.

Majorité de O et de P : type compulsif

Moteur : la recherche du plaisir
Dominante affective : l'angoisse. Un petit enfant qui prend conscience des menaces physiques et « psychologiques » de son environnement, alors qu'il se sait faible et impuissant à y faire face et qu'il dépend des autres pour sa protection, a peur. Normalement, nos parents nous ayant préparé au danger, le moi s'est auto-vacciné. Dans ce cas, adultes, notre angoisse se manifeste comme un simple signal d'alarme. Quand ils ne l'ont pas fait, le moi, n'étant pas préparé, compense automatiquement par une suractivité (centrée sur les intérêts personnels) et une surconsommation (recherche de plaisirs immédiats) pour tenir l'angoisse à distance.

Point fort : l'autonomie. L'essentiel des pulsions est investi dans le narcissisme : « l'intérêt principal est orienté vers la conservation de soi-même, il est autonome et peu intimidable », déclare Freud. Dans la pratique, vous êtes capable de vous débrouiller tout seul, même dans des conditions difficiles. Peu attaché aux choses et aux gens, vous ne souffrez pas beaucoup quand ils sont absents ou quand vous les perdez.

Handicap : l'égoïsme. Non seulement « je fais ce que je veux, quand je veux » est votre refrain favori, mais vous faites attention aux autres seulement quand vous avez besoin d'eux (pour vous rassurer dans votre séduction, matériellement, sexuellement...).

Majorité de O et de S : type contrôlé

Moteur : la recherche d'harmonie.

Dominante affective : la sérénité. Peu sujet à des pulsions irrésistibles, ni obligé de vous battre contre vous-même pour résister aux tentations ni de ramer pour payer les pots cassés, peu coincé (vous faites à peu près tout ce dont vous avez envie sans que ça vous crée des problèmes), vous n'éprouvez pas, ou quasiment pas, de frustration, de culpabilité ou d'angoisse.

Point fort : la confiance en soi. Vous n'avez pas peur. Vous savez quand vous pouvez céder à vos impulsions et quand vous devez, au contraire, résister à la tentation.

Handicap : la naïveté. Plutôt bien dans votre peau, vous avez tendance à croire que tout le monde est comme vous et vous ne voyez pas le mal. Du coup, vous vous retrouvez parfois confronté à des réactions émotionnelles aiguës ou embringué malgré vous dans des situations conflictuelles ou embrouillées.

Chapitre 4

♂

Votre connaissance des femmes

Que préfèrent-elles chez un homme ?

1. Look :
a. sportif
b. homme d'affaires
c. gentleman farmer
d. baroudeur
e. motard
f. rapper

2. Type de visage :
a. Brad Pitt
b. Tom Cruise
c. Robert Redford
d. Harrison Ford
e. Sean Connery

3. Regard :
a. souriant
b. discret
c. complice
d. ténébreux
e. explicite

4. Premier contact :
a. avec humour
b. en l'invitant à danser
c. en lui offrant un verre
d. en lui parlant voyages
e. en attendant qu'elle prenne l'initiative
f. en lui parlant travail

5. Boulot :
a. médecin
b. enseignant
c. pilote de ligne
d. sportif
e. avocat
f. musicien
g. écrivain

6. Première invitation :
a. au restaurant
b. à une soirée entre amis
c. chez vous
d. dans une boîte branchée
e. à une exposition
f. à un match de boxe

7. Moyen de transport :
a. une Clio
b. un 4x4
c. les pieds
d. une décapotable
e. une Porsche
f. une Harley-Davidson

8. Premier geste :
a. la prendre par la main
b. lui caresser les cheveux
c. l'embrasser dans le cou
d. l'embrasser sur la bouche
e. lui mettre la main dans la culotte

9. Technique de drague :
a. lui parler de vous
b. lui laisser l'initiative
c. la faire parler d'elle
d. prendre les choses en main
e. lui parler sexe

10. Comportement au lit :
a. être sensuel
b. la surprendre
c. la laisser faire
d. être très physique

11. Leur fantasme :
a. être prise de force
b. faire l'amour avec plusieurs hommes
c. se prendre pour une prostituée
d. regarder d'autres personnes se caresser, faire l'amour

12. Goût du sperme :
a. elles n'en raffolent pas
b. elles le trouvent plutôt agréable
c. elles ne le trouvent pas désagréable
d. elles n'aiment pas du tout

Que savez-vous de leur physiologie ?

13. Sexuellement, elles sont au mieux de leur forme à 30 ans.
a. Vrai.
b. Faux.

14. Elles sont sexuellement moins excitables quand elles ont leurs règles.
a. Vrai.
b. Faux.

15. Elles ont plus facilement des orgasmes en période d'ovulation.
a. Vrai.
b. Faux.

16. Pour qu'elles ressentent quelque chose pendant la pénétration, la taille du pénis en érection doit être au minimum de 10,5 cm.
a. Vrai.
b. Faux.

17. Elles peuvent avoir un orgasme seulement en se faisant caresser les seins.
a. Vrai.
b. Faux.

18. Comme notre pénis, leur clitoris est en érection au moment de l'orgasme.
a. Vrai.
b. Faux.

19. Il leur arrive parfois de s'évanouir au moment de l'orgasme.
a. Vrai.
b. Faux.

20. En jouissant, une « femme fontaine » peut éjaculer l'équivalent d'une canette de bière de 50 cl.
a. Vrai.
b. Faux.

21. Le pénil est l'autre nom du mont de Vénus.
a. Vrai.
b. Faux.

22. Stimulé, le point G devient protubérant.
a. Vrai.
b. Faux.

Que savez-vous de leurs comportements ?

23. Elles s'aiment bien nues.
a. Vrai.
b. Faux.

24. Elles aiment dire ou entendre des « mots cochons » pendant l'amour.
a. Vrai.
b. Faux.

25. Elles sont pour la plupart gênées d'avoir à prononcer le mot « clitoris ».
a. Vrai.
b. Faux.

26. 14 % des femmes pourraient quitter leur conjoint pour un coup de foudre de l'été.
a. Vrai.
b. Faux.

27. Par amour, 15 % des femmes sont capables d'accepter d'être trompées.
a. Vrai.
b. Faux.

28. Une femme sur trois n'a jamais fait une fellation.
a. Vrai.
b. Faux.

29. 76 % d'entre elles n'ont jamais essayé la pénétration anale.
a. Vrai.
b. Faux.

30. Une femme sur dix a déjà fait l'amour avec deux personnes à la fois.
a. Vrai.
b. Faux.

31. La plupart des femmes trouvent que faire l'amour une fois par semaine suffit.
a. Vrai.
b. Faux.

32. La majorité des femmes ne peuvent pas avoir d'orgasme si leur clitoris n'est pas stimulé.
a. Vrai.
b. Faux.

Que savez-vous de la sexualité féminine ?

33. Que font-elles pour un premier rendez-vous sexe ?
a. Elles achètent des préservatifs.
b. Elles s'épilent (aisselles, jambes, maillot...).
c. Elles mettent des dessous neufs.
d. Elles se lavent les dents.

34. Qu'est-ce qui les fait le plus fantasmer ?
a. Être attachée.
b. Une partie à trois avec deux garçons.
c. Coucher avec un mec de 20 ans plus vieux qu'elles.
d. Une partouze.

35. Combien de femmes rêvent de coucher avec deux hommes ?
a. 52 %
b. 48 %
c. 39 %
d. 23 %

36. Qu'est-ce qui les excite le plus chez les hommes en général ?
a. Des épaules baraquées.
b. Des yeux de loup.
c. Un petit cul bien dur.
d. Un torse sans poil.

37. Qu'est-ce qui les dégoûte le plus chez un homme ?
a. Des poils partout.
b. Une hygiène douteuse.
c. Une odeur de sexe.
d. Des sous-vêtements moches.

38. Combien de filles ont-elles envie de rire devant un pénis ?
a. 11 %
b. 6 %
c. 3 %

39. Quelle partie du corps préfèrent-elles caresser chez un homme ?
a. Le sexe.
b. Les fesses.
c. Le torse.
d. Les cheveux.

40. Si elles pouvaient changer quelque chose dans leur corps, ce serait quoi en priorité ?
a. Leurs seins.
b. Leur corpulence.
c. Leur taille.
d. Leurs fesses.

Vos résultats

Comptez 1 point par bonne réponse. Divisez le résultat par 2, vous obtenez une note sur 20.

Que préfèrent-elles chez un homme ? 1 b, 2 c, 3 a, 4 a, 5 a, 6 a, 7c, 8 a, 9 a, 10 a, 11 a, 12 c.

Que savez-vous de leur physiologie ? 13 V, 14 V, 15 V, 16 V, 17 V, 18 V, 19 V, 20 V, 21 V, 22 V.

Que savez-vous de leurs comportements ? 23 F, 24 F, 25 F, 26 V, 27 V, 28 V, 29 V, 30 V, 31 V, 32 V.

Que savez-vous de la sexualité féminine ? Comptez 1 point par réponse b.

Vous connaissez les femmes...

De 17 à 20 points : très intimement

Bravo ! Vous en savez plus sur les femmes qu'elles n'en savent souvent sur elles-mêmes. Vous vous trompez rarement dans vos approches. Vous devinez d'instinct ce qu'une fille veut, ce qu'elle cherche, attend... Et vous savez sur quel bouton appuyer (et quand) pour obtenir les bonnes réactions.

De 14 à 16 points : plutôt bien

Vous connaissez vraiment bien les femmes. Assez bien en tout cas pour leur plaire et savoir les aimer. Mais ne vous contentez pas de ce que vous savez (ou croyez savoir) d'elles. Creusez un peu plus profond. Vous avez encore beaucoup à apprendre sur la psychologie féminine pour être vraiment en phase avec une femme.

De 10 à 13 points : pas vraiment

Vous avez encore beaucoup de choses à apprendre pour être en phase avec elles, avoir des relations harmonieuses.

Moins de 10 points : très mal

Vous sortez d'un monastère, de prison ? Ça fait plusieurs mois que vous gardez des brebis sur l'Altiplano ? Ce n'est pas le cas ? Alors c'est de l'indifférence ou, pire, du mépris. Vous avez intérêt à vite faire des progrès si vous voulez rentrer moins souvent seul le soir. Demandez à vos copines de vous briefer dans les détails.

RÉINVENTER SA VIE SEXUELLE

Chapitre 5

♀

En faire un bon amant

L'obsédé

Ne le privez pas. En lui disant non, vous rajoutez une nouvelle frustration à ses frustrations initiales. Pour diminuer la fréquence de vos rapports, vous devez lui trouver des plaisirs (décharges) de substitution. En général, ceux de la table marchent bien. Le ventre plein, il est plus apaisé. Mettez-le plus souvent en mode digestion. Au moins trois repas par jour, toujours très copieux. Supprimez les excitants, café, alcool, tabac – ils exacerbent sa libido – et remplacez-les par un régime lait chaud-chocolat plus lénifiant. Le lait chaud réactivera les sentiments de sécurité et de satisfaction que sa mère lui procurait quand il était bébé ; le chocolat est un très bon régulateur de l'affectivité. Prenez aussi l'initiative de vos rapports. Sortez de votre rôle passif. N'attendez pas qu'il soit en manque. Vous pouvez combattre le feu par le feu. Les maîtres pâtissiers font pareil avec leurs nouveaux apprentis. Ils les laissent s'empiffrer de charlottes, de babas au rhum et de religieuses, voire les y encouragent. Après, écœurés, ils ne piochent plus dans les rayons. Gavez-le de sexe jusqu'à ce qu'il dise « pouce ». Au fond, c'est un affectif qui a peur de la pénurie. En faisait régner l'abondance, vous le rassurez. Plus il sera sûr de votre amour, de votre désir pour lui, moins il aura besoin de vous prouver les siens.

Le marathonien

Difficile de le changer. Avec vous (ou une autre), il se venge de toutes les femmes qui ont échoué à le « détendre ». Plus ça dure longtemps, plus il vous punit. Ou alors, il se désintéresse dès qu'il vous a « possédée » et se tourne vers d'autres femmes pour se procurer de nouvelles satisfactions d'amour-propre.

Si vous l'aimez beaucoup, vous pouvez quand même y arriver. La solution, c'est de développer la tendresse. Son « trop » sexuel, c'est un « pas assez » de tendresse. Pour le garder (fidèle) et écourter ses prestations, vous devez le materner, le bichonner genre mère juive ou italienne. Au début, il aura du mal à se laisser faire (toujours ce besoin de contrôle). Au bout d'un moment, il apprendra à se laisser aller, surtout si vous le touchez tout le temps. Il n'a pas été assez câliné dans son enfance. Il a accumulé un grand retard en caresses. Le chemin de son cœur, la clef de sa sexualité passent par sa peau. En le couvrant de caresses, vous finirez par l'amadouer. Vous en ferez un amant vrai.

Le petit lapin

Sa sexualité est très infantile. Il n'est pas encore arrivé au stade phallique. Ses centres érogènes sont d'ailleurs déplacés du pénis lui-même à la racine de la verge. Il ne

« sent » pas vraiment son pénis, c'est pour ça qu'il a du mal à se contrôler. Toute une rééducation à faire si vous voulez le faire « durer », arriver avec lui à des amours plus épanouissantes. Souvent, le petit lapin est un rapide, il fait les choses à la sauvette, parce qu'on lui a interdit de toucher son sexe quand il était enfant. Il a eu honte de se masturber, il s'est senti coupable. Encouragez-le à se toucher, à prendre son sexe et son temps. Apprenez-lui à jouir sans honte. Il a besoin d'en passer par là pour se réapproprier son « phallus ». Vous pouvez l'aidez également en vous mettant sur lui pour faire l'amour. Dans cette position, il lui est plus facile de se contrôler, il « dure » plus longtemps. Parlez-lui aussi pendant vos rapports. Ça le « dédramatise », et ça le rassure.

L'endormi

Chez l'endormi, la sensualité et la tendresse sont souvent dissociées. Plus il aime, moins il a de désir. Avec lui, les stimulations habituelles deviennent rapidement inefficaces. Il a besoin d'un traitement de choc. Pour rallumer ses feux, vous pouvez le « prendre » par les sens ou en douceur. Par les sens, en profitant systématiquement (vous devez maintenir la pression) de son érection matinale (celle-là, il n'y peut rien), le principe étant celui de l'appétit qui vient en mangeant. N'hésitez pas à le harceler : il finira par aimer. Deuxième manière : la douceur, à appliquer simultanément. Ces vertus « thérapeutiques » sont plus durables. Vous devez l'apprivoiser. Il ne faut pas qu'il ressente votre envie de lui comme une contrainte, un passage obligé. Au fond, l'endormi est resté au stade de l'enfant qui se demande, en pensant à l'acte sexuel : « Est-ce que ça fait mal ? », « Est-ce qu'on peut se retirer facilement ? » Rassurez-le. Faites comme avec les enfants qu'on doit opérer. Racontez-lui en détail (et avec délicatesse) toutes les douceurs que vous allez lui faire « subir ».

Le monomaniaque

Inutile de lui suggérer des variations ou d'enchaîner sur les figures libres de vos plaisirs. Sorti de son scénario, il est perdu, il perd tous ses moyens. En plus, il ne supporte pas les femmes « actives ». Vous ne pouvez pas prendre la direction des « opérations ». Ça va être très difficile de le faire changer d'« habitudes ». Plus facile s'il est tout frais émoulu de l'adolescence ou tout comme. Presque impossible (ou miraculeux) s'il navigue depuis longtemps. À part la fuite, il vous reste la patience. D'abord, le mettre au régime sec. Plus vous lui faites l'amour, plus vous l'ancrez dans ses mauvaises manies. Ensuite, parler, lui expliquer que toutes les femmes ne sont pas pareilles. Bon d'accord, il y a des zones érogènes (faites des concessions), mais vous, vous êtes plus sensible ici que là, comme ci que comme ça. Donnez-lui votre propre « notice ». Détaillez-lui votre carte du tendre. Ensuite, seulement, vous pourrez revenir à des « travaux » plus pratiques. À la longue, il finira bien par retrouver le chemin de son corps, de ses sentiments, et des vôtres.

Chapitre 6

♀

Prendre plus de plaisir

« J'y arrive pas »

Vous faites partie des 30 % de femmes qui se plaignent en Europe et aux États-Unis de pas avoir d'orgasme. L'absence d'orgasme est généralement due (quand on a éliminé d'éventuels troubles physiques) à des inhibitions psychologiques. Ça peut être un complexe d'Œdipe mal surmonté. Inconsciemment, vous avez à chaque fois l'impression de faire l'amour avec votre père. Donc, pas question de jouir. Ça peut être aussi la peur de perdre les pédales si vous vous laissez aller, peur de devenir folle, de ne plus « revenir », d'uriner involontairement, de blesser votre compagnon, etc. Ça peut être encore un refus de se donner complètement. Votre corps d'accord, mais pas votre âme.

Il n'y a rien à faire sauf vous lancer dans une psychothérapie longue et compliquée. Une chose quand même. Oubliez l'orgasme. Plus il vous obsèdera, moins vous aurez de chances d'y arriver. L'orgasme, c'est comme l'amour, ça vous « tombe » dessus quand on ne s'y attend pas. Alors, n'y pensez plus. Cherchez plutôt à vous faire plaisir et à faire plaisir à votre compagnon. Recentrez-vous sur vos sensations immédiates. Elles vous entraîneront spontanément vers des jouissances plus intenses.

« Je jouis tout de suite »

Normalement, après la puberté, avec les premières expériences sexuelles, une partie de l'excitabilité se déplace spontanément (et peu à peu) du clitoris au vagin. Chez vous, ce transfert ne s'est pas fait du tout, ou pas suffisamment. Votre « premier sexe », le clitoris, reste l'organe central. Vous n'êtes pas la seule dans ce cas : 60 % des femmes reconnaissent qu'elles ne peuvent avoir d'orgasme sans stimulation clitoridienne. « Techniquement », c'est un problème de déséquilibre des zones érogènes. Psychologiquement, c'est une sorte de fuite en avant. Inconsciemment, votre enjeu, c'est : « En jouissant tout de suite, j'évite les désagréments de la pénétration. » La solution consiste à tout reprendre à zéro pour transférer une partie de l'excitation « extérieure » vers « l'intérieur ». Pour ça, vous devez vous « servir » un peu moins de votre premier sexe, un peu plus du second. De cette façon, vous arriverez progressivement à rééquilibrer vos zones érogènes.

« Je peux d'une seule façon »

Le problème chez vous, c'est le cloisonnement. Dans votre inconscient, sexe signifie interdit, toute activité sexuelle est en soi une transgression, comporte un risque que vous devez courir et maîtriser. Vous ne pouvez accéder au plaisir que si vous avez l'impression d'avoir le contrôle de la situation. Vous avez besoin de mettre des barrières entre vos plaisirs et le reste de l'existence. Ça va souvent de pair avec une certaine « désimplication » sentimentale. Vous pouvez désirer un homme que vous n'aimez pas, ou le contraire. Dans ce cas, la solution, c'est de rompre avec votre « routine » sexuelle. Ne vous contentez pas de ce qui vous fait d'habitude grimper au ciel. Interdisez-vous la « facilité ». Ça vous frustrera un peu, mais une bonne frustration est en soi très stimulante. Elle vous permettra de découvrir et d'ouvrir d'autres voies à vos plaisirs.

« J'ai tout le temps envie »

Normalement, on n'a plus envie (momentanément) après avoir fait vraiment l'amour. Chez vous, l'excitation est très forte et ne connaît jamais de détente profonde. Vous éprouvez du plaisir, mais pas de réelle satisfaction, d'où l'obligation de répéter. Ajoutez à ça un côté accoutumance comme avec la drogue. Plus vous faites l'amour, plus vous êtes frustrée et « forcée » de recommencer – un cercle plus infernal que vicieux. En fait, vos désirs sexuels ne sont pas de vrais désirs amoureux. En faisant l'amour (souvent), vous cherchez d'abord à vous rassurer d'un point de vue narcissique, à vous prouver que vous êtes séduisante, désirable et désirée. Pour sortir de cette impasse, vous devez faire l'expérience de la chasteté, espacer vos rapports, remplacer aussi souvent que possible le sexe par les câlins. C'est seulement après que vous pourrez refaire l'amour sur de nouvelles bases. Au début, ça peut être un peu frustrant. Vous vous sentirez parfois tiraillée par vos soi-disant besoins sexuels. Mais la tendresse, les sentiments de votre compagnon vous procureront très vite les réassurances narcissiques dont vous avez besoin.

« Je n'ai jamais envie »

Dans votre inconscient, toute activité sexuelle représente un risque. Ça peut être la peur d'être blessée physiquement, ou un problème d'éducation. On vous a conditionnée sur le thème : sexualité = danger. Parfois, l'origine du mal est une première expérience (défloration) traumatisante. L'abstinence ne vous réussit pas : vous avez de moins en moins envie d'avoir envie, vous vous trouvez de moins en moins séduisante. Quant au sexe pour le sexe, n'en parlons pas. Ça renforce vos blocages. Ne vous forcez pas pour faire plaisir ou pour faire comme tout le monde. Vous ne pouvez renouer avec le désir et le plaisir qu'en passant par la tendresse. Privilégiez les approches de séduction, la douceur, les préliminaires. Prenez votre temps, ne soyez pas hantés (ni vous ni votre compagnon) par l'« obligation du coït ». Dédramatisez. Prenez l'amour comme un jeu. Après... « l'appétit vient en mangeant ».

« Je suis trop lente »

Dans votre imaginaire, la sexualité est « marquée » d'une manière négative. C'est souvent lié à une éducation morale ou religieuse trop stricte. Faire l'amour, c'est « mal faire ». De fait, toute activité sexuelle déclenche chez vous une anxiété. Votre lenteur, c'est de la force d'inertie. Ça veut dire, « j'ai du plaisir, un orgasme, mais ce n'est pas de ma faute, je ne le fais pas exprès ». Vous pouvez désamorcer progressivement cette anxiété (un souci de vos propres réactions) en la déplaçant sur votre compagnon de jeux (érotiques). Soyez plus attentive à ses réactions, plus curieuse de son corps, plus soucieuse de sa sensibilité. C'est plus facile si vous apprenez d'abord en douceur, en privilégiant les longs préliminaires. N'entrez pas « brutalement » dans l'amour. Préparez-vous mentalement et physiquement (mettez-y du décorum, commencez par vous masser mutuellement, etc.).

« J'ose pas »

Pour vous, dans votre inconscient, le sexe, la sexualité, « c'est sale ». Toute activité sexuelle peut réactiver des sentiments de honte ou de dégoût. La difficulté ici, c'est l'antagonisme entre les valeurs de sensualité et de tendresse. Vous n'arrivez pas à vivre les deux simultanément. C'est un engrenage dont vous ne pouvez sortir qu'en acceptant d'abord vos inhibitions. Faites une liste de tous vos interdits (motifs de honte ou de dégoût). Classez-les du « moins » au « plus ». Puis attaquez-vous au premier point de votre liste, le « moins ». Commencez par en parler franchement avec votre compagnon. Vous ne pouvez pas vous en débarrasser toute seule. Ensuite, travaux pratiques. Objectif : transformer vos motifs de honte ou de dégoût en désir. C'est moins difficile que vous pourriez le croire. Nos inhibitions sont souvent des désirs refoulés. Le seul fait de pouvoir en parler librement a déjà en soi une vertu curative. Dès que vous en avez fini avec cette première inhibition, passez à la suivante. Vous mettrez peut-être quelques mois à faire le tour de votre liste, mais ça en vaut vraiment la peine.

Chapitre 7

♀

Envoûter un homme

Faites-lui l'amour souvent

Question d'hormones (la testostérone) ou de stimulations extérieures, un homme a plus souvent envie que vous. Le sexe, il y pense tout le temps à 20 ans, toutes les dix minutes à 30 et toutes les vingt minutes à 40, soit en moyenne 206 fois par jour, ont calculé des psys américains. De votre côté, vous êtes 64 % à penser qu'une fois par semaine, ça suffit. Forcément, les hommes se sentent un peu frustrés. Résultat : ils sont de mauvaise humeur, voire agressifs. Comblez leurs besoins sexuels, tout le bénéfice sera pour vous. Ils deviendront plus tendres (à chaque orgasme, ils fabriquent de l'ocytocine, la fameuse hormone tendresse), plus performants (en manque, ils sont trop excités physiquement, ils jouissent trop vite), plus fidèles (une bonne partie des errances sexuelles masculines s'explique par un trop-plein spermatique).

Prenez des initiatives

64 % des hommes sont pour. N'attendez pas tout le temps que ce soit eux qui fassent le premier pas (sexuel). Ça agace un homme d'être tout le temps en position de demandeur. Il se sent à la limite de l'obsédé sexuel (il le voit bien parfois dans votre regard) ; c'est mauvais pour son ego et pour son image de marque. Et puis les femmes passives (22 % des Françaises avouent l'être), ça ressemble à quoi ? Au mieux, il a l'impression de partager sa couche avec une poupée gonflable (au moins vous vous laissez faire), au pire avec un poids mort (bonjour la force d'inertie quand il essaie des variations). Franchement, c'est d'un autre siècle. Aujourd'hui, la plupart des hommes n'ont pas envie qu'une femme se soumette avec plus ou

moins de bonne volonté à leur plaisir. En général, ils s'attendent à un peu plus d'enthousiasme, de participation. Un homme a besoin de sentir que vous avez autant envie que lui, sinon il perd le rythme, il se démotive et bâcle.

Faites durer son plaisir

Tous les zoologues sont d'accord pour le dire : les hommes, c'est comme les singes. S'ils écoutent leurs hormones, ils éjaculent au bout de quelques... secondes (sauf si ce sont de vieux singes). Chez les mâles, la culture (amoureuse) doit s'imposer à la nature, sinon c'est le fiasco. Certains (plus civilisés) ont appris à durer, mais pas tous (l'éjaculation précoce concerne 30 % des hommes) et pas forcément tout le temps. Durer pour un homme, ce n'est pas naturel. Il le fait pour vous faire plaisir – encore très mal, hélas, puisque la durée moyenne d'un rapport sexuel est de six minutes. De votre côté, vous avez besoin en général de quinze à vingt minutes pour être sexuellement excitée. Évidemment, les relations sont plombées dès le départ.

Vous pensez « pourvu que je jouisse assez vite », et lui « pourvu que je tienne assez longtemps ». Même s'il n'est pas un éjaculateur précoce, un homme a toujours peur que cela lui arrive à un moment ou à un autre. Il n'a pas envie de vous laisser en plan parce qu'il n'a pas été capable de se retenir un peu plus longtemps. Il se sent toujours honteux, vaguement coupable, quand il prend du plaisir sans vous faire plaisir. Durer, ça dépend de lui, de son entraînement, de son niveau d'excitation (s'il n'a pas fait l'amour depuis longtemps ou non), mais cela dépend aussi beaucoup de vous. Même sans être une pro du squeezing (technique du pincement du gland ou du pénis pour bloquer l'éjaculation), vous pouvez aider un homme à se contrôler, notamment en calmant le jeu quand vous sentez qu'il va trop vite (un petit mot gentil, une respiration plus lente, un arrêt ou un changement de rythme, ça peut suffire à le distraire). Un homme apprécie quand vous savez le désamorcer au moment crucial (ou, au moins, éviter de piquer un sprint au moment où il reprend son souffle), retarder l'explosion, le garder en vous. Ses orgasmes sont, d'ailleurs, toujours plus intenses et bien meilleurs quand il les a retenus.

Manifestez votre plaisir

Par manque d'expérience (de sensibilité ?) en général, de votre corps en particulier (c'est la première fois), souvent un homme se demande où vous en êtes dans votre plaisir, si vous avez vraiment joui Les signes subtils de votre jouissance, il ne sait pas très bien les décoder. En plus, avec vos facilités pour la simulation (vous êtes 9 % à l'avouer), un orgasme, c'est invérifiable. La plupart des hommes ne sont pas sensibles à vos contractions vaginales. Toutes les 0,8 seconde pendant un orgasme qui dure de quatre à douze secondes, ce n'est pas évident. Et même s'ils savent que vos muscles anaux se contractent à ce moment-là, leurs doigts sont plus souvent occupés ailleurs. Cris, morsures, gémissements, coups de griffes, mots d'amour, mots cochons (surtout si vous êtes habituellement plus réservée)... n'hésitez pas à lui envoyer des signaux forts. Un homme se repère mieux. Cela le rassure sur ses capacités à vous rendre heureuse. En plus, ça stimule son plaisir.

Jouez sur les stimuli visuels

Dans un cerveau d'homme, les récepteurs visuels ont une connexion directe avec les centres du plaisir. Comme tous les mâles dans la nature (ordre des grands mammifères), les hommes se déclenchent à l'odeur – vous n'avez pas tort de dépenser des fortunes en parfum –, mais s'excitent en regardant. Leur plaisir passe d'abord par les yeux. Cela explique pourquoi ils se retrouvent parfois, bêtement, dans tous leurs états en feuilletant les pages lingerie du catalogue de La Redoute ou des 3 Suisses, pourquoi ils sont souvent plus allumés par ce qu'une femme suggère (56 % des hommes) que par ce qu'elle montre (17 % des hommes) et pourquoi ils craquent pour la lingerie fine (82 % sur les dessous en soie contre 14 % pour les culottes Petit Bateau). Alors, ne lésinez pas sur les stimuli visuels. Jouez de la prunelle. Quand vous regardez un homme, l'œil palpitant de désir, ça lui va droit à l'hypothalamus, le centre de la libido. Évitez de vous déshabiller toute seule (sauf pour un striptease), laissez-lui le plaisir de vous défaire (et de vous prendre à moitié nue). Variez les dessous affriolants. Soutiens-gorge pigeonnants, nuisettes, combinés, déshabillés, kimonos, body, boxer, string, jarretelles, guêpières... Un homme, ça aime tout du moment que vous lui en faites voir de toutes les couleurs.

Faites-lui des trucs que vous n'avez pas fait aux autres

Et faites-le lui savoir. Question d'orgueil sans doute par rapport aux autres hommes que vous avez connus, pour effacer leur souvenir, un homme aime bien l'idée qu'avec lui, c'est différent, qu'il vous entraîne plus loin, que vous osez plus avec lui qu'avec eux. Regret peut-être aussi de votre virginité qu'il n'a pas eue, nostalgie de votre innocence perdue, sans doute encore un besoin d'exclusivité... En tout cas, il adore quand vous lui faites des choses que vous n'avez pas faites avec vos ex (parce qu'ils n'ont pas osé ou que vous n'avez pas voulu). C'est encore mieux, d'ailleurs, quand c'est pour lui aussi une première. Parfois, un homme y arrive simplement en vous sodomisant, en vous attachant pour faire l'amour ou en dégustant ses glaces préférées sur votre peau brûlante. Bien sûr, si vous avez déjà (presque) tout essayé (et lui aussi), ça peut paraître difficile de faire du neuf. Mais quand on songe qu'un historien (Georges Legman) a dénombré à travers le monde et le temps 14 288 400 méthodes différentes de stimulation buccales du pénis, ça laisse de l'espoir.

Prenez-le par surprise

Le sexe à jours ou à heures fixes, ça devient vite monotone. Pour doper sa libido, continuer à vous désirer, même après plusieurs années, un homme a besoin (tout comme vous) de variété, il doit érotiser son quotidien. Forcément, il adore quand ce n'est ni le lieu ni le moment. Il aime vous sentir toujours prête pour l'amour même quand vous avez les mains dans la farine (après les ascenseurs et avant les portes cochères, c'est le fantasme masculin préféré), quand vous remettez du mascara à vos cils ou que vous étudiez le cours de vos actions en bourse. Il adore que vous lui sautiez dessus quand il ne s'y attend pas, pendant qu'il prend sa douche (il l'espère souvent un peu), qu'il se rase (il ne s'y attend vraiment pas du tout), qu'il dort ou qu'il est en train de vous préparer des gnocchis au gorgonzola. Il raffole des choses que vous lui faites pendant qu'il est en train de conduire, de regarder un film, de manger (à la maison ou au restaurant), de visiter une exposition ou une centrale nucléaire.

Donnez-vous vraiment

Vos rondeurs, les hommes en raffolent, mais ils préfèrent toujours quand vous donnez aussi un peu, beaucoup, de votre cœur et de votre âme. Même pour une seule nuit, un homme aime vous avoir toute, et pas seulement votre corps. Arrêtez de leur faire l'amour par habitude, pour leur faire plaisir (43 % des femmes), sans en avoir vraiment envie, sans conviction. Au final, c'est toujours décevant, pour eux comme pour vous ; c'est une source de ressentiment. Sautez-lui dessus, laissez-vous prendre, mais toujours de bon cœur, sans lésiner sur vos plaisirs ni sur les siens. Il ne s'agit pas de vous transformer du jour au lendemain en bête à orgasmes (multiples) ou en femme fontaine, mais simplement de vous montrer un peu plus généreuse.

Chapitre 8

♀

Doper ses orgasmes

Faites du « vaginal building »

Les sexologues le recommandent : la contraction des muscles qui enlacent le vagin peut aiguillonner les sens. Découvrir et renforcer les muscles du vagin est rapIdement efficace. Autre avantage : cela « sensibilise » la zone anale qui, objectivement (quand on compte le nombre de terminaisons nerveuses), est potentiellement plus érogène que l'anneau vaginal. Trois exercices à faire par jour pour devenir en quelques semaines une « pro » de l'amour.

1. En position allongée sur le dos, genoux pliés, faites plusieurs séries de mouvements de bascule du bassin, fesses serrées, en maintenant la cambrure quelques secondes ; relâchez à l'apparition de la fatigue, allongez les jambes, respirez profondément.

2. Même position, mais cette fois avec un petit coussin entre les genoux ; contractez l'anus et les fesses tout en maintenant le coussin sans bouger pendant quatre ou cinq secondes ; recommencez plusieurs fois, puis desserrez les genoux et respirez.

3. Allongée sur le dos, bras le long du corps, ramenez les cuisses légèrement écartées vers la poitrine, puis décollez les fesses du sol en contractant l'anus ; relâchez et recommencez à cinq ou six reprises, jusqu'à ce que la posture soit fatigante.

Dès que vous aurez intégré ces mouvements, vous pourrez les reproduire pendant l'amour. Avec un homme à la place du coussin, l'effet « septième ciel » est presque garanti.

Musclez votre « anneau du plaisir »

Aujourd'hui, on sait (beaucoup de recherches ont été effectuées sur la question) que le sphincter de l'urètre est le « muscle du plaisir ». Chez les femmes, il accroît l'excitation. Vous fantasmez, vous le contractez toutes les dix à quinze secondes et hop, c'est du délire. Même s'il n'est pas très « musclé », le simple fait de le déclencher provoque automatiquement une excitation. En le tonifiant, vous pouvez, quand vous faites l'amour, resserrer votre vagin autour du pénis pour augmenter vos sensations et celles de votre partenaire. Summum du contrôle : le « verrouillage » du pénis en érection prolongée à l'intérieur du vagin. La technique est connue depuis deux bons milliers d'années dans la sexualité orientale (elle a même un nom, la *bahagasana*, la « posture de la vulve »), mais elle n'est pas donnée à tout le monde. Votre partenaire a aussi intérêt à s'entraîner pour intensifier ses propres orgasmes (et accessoirement prolonger son érection). L'exercice en lui-même est très facile. D'abord, localiser le muscle sphinctérien. Pour ça, le plus simple, c'est de s'arrêter volontairement quand on fait pipi. On sent bien où le muscle en forme d'anneau travaille. Ensuite, le contracter trois secondes très fort puis relâcher totalement. Vous faites ça cinq fois de suite deux à trois fois par jour au début et vous augmentez chaque jour le nombre de séries (jusqu'à dix séries de cinq contractions par jour). À ce rythme, au bout de deux mois, vous aurez un « anneau du plaisir » hypertonique. Gros avantage, vous pouvez faire cet exercice n'importe où : en bronzant sur la plage, au volant de votre voiture, en faisant la queue au supermarché ou assise devant votre ordinateur.

« Gymnez » votre périnée

Le périnée, c'est la petite zone qui s'étend entre l'anus et les parties génitales. Chez les hommes, c'est le « point prostatique externe ». En le pressant en rythme, on stimule l'érection et on intensifie l'orgasme masculin. Pour tout le monde, c'est là que sont localisées les énergies sexuelles, la *kundalini* (lovée comme un serpent à la base de la colonne vertébrale) pour les adeptes du tantrisme hindo-tibétain. Question sexualité, ils ont deux mille ans d'avance sur nous. Ils ont expérimenté de nombreuses postures sexo-yogiques pour « réveiller » la puissance du serpent. Si la plupart demandent un sérieux entraînement, certaines sont plus faciles pour des « débutants ». Nous en avons sélectionné trois qui catalysent le désir et l'orgasme tant chez les femmes que chez les hommes.

1. La « posture du vagin » ou *yonimudra* (le *yoni* est l'organe sexuel féminin en sanscrit). Elle se pratique assis, les deux jambes repliées contre les cuisses (la jambe droite au-dessus de la gauche), votre talon gauche pressant fortement le périnée, le droit s'appuyant contre votre pubis. Avec les doigts, vous fermez tous les orifices de la tête – les oreilles, les yeux, les narines. Ainsi fermé aux impressions extérieures, l'organisme peut prendre conscience des sensations intérieures, notamment celles émanant des parties génitales.

2. La « grande posture » ou *mahamudra*. Toujours assise, vous continuez de presser votre périnée avec le talon tandis que votre jambe droite est tendue vers l'extérieur. Vous saisissez votre pied droit des deux mains, en pressant fermement votre menton contre votre poitrine et en contractant (autant que possible) les neuf orifices du corps dans la culture tantrique (yeux, narines, oreilles, bouche, urètre et anus). Cette posture permet d'exercer un massage des organes sexuels.

3. L'« éveil du serpent » ou *mahavedha*. Il se pratique en position assise, jambes croisées sur les cuisses (pied droit sur la cuisse gauche et inversement). Vous vous soulevez sur les mains et vous tapez vos fesses par terre. Les chocs répétés, les vibrations qu'ils provoquent en bas de la colonne vertébrale réveillent la *kundalini*, la « puissance du serpent ». L'exercice est particulièrement efficace avant un rapport amoureux ou pour ranimer le désir.

Apprenez le « squeezing »

Cette technique, mise au point dans les années 1960 par Masters et Johnson, consiste à serrer (*squeeze* veut dire « presser », « serrer ») le pénis pour prévenir ou bloquer une éjaculation. Ça peut se faire de trois manières :

1. Le « squeezing » du gland. C'est la technique initiale. Elle consiste à pincer le gland avec les doigts suffisamment fort pour ralentir ou arrêter le processus d'éjaculation. Inconvénient : l'homme doit sortir le pénis du vagin. D'une part il doit y penser, et d'autre part ça peut être désagréable de se retrouver tout à coup « abandonnée ».

2. Le « squeezing » de la verge. Vous « baguez » avec un doigt la base de la verge et vous serrez progressivement. Ici comme précédemment, il faut bien se « connaître » pour savoir quel est le seuil de pression efficace. L'avantage, c'est que vous n'interrompez pas le contact.

3. Le « squeezing » du scrotum (la peau des bourses). Sans doute le plus efficace, le plus préventif et le plus soft. Vous baguez la peau au-dessus des testicules et vous tirez le tout légèrement en arrière. Normalement, avant l'éjaculation, le scrotum se contracte et les testicules se « collent » au corps. En effectuant le mouvement inverse, vous détendez toute la « machinerie ». Mais n'attendez pas que les testicules soient « collés » au corps ; c'est souvent trop tard.

Pratiquez le « cool sex »

Le « cool sex » repose sur les réactions épidermiques et physiologiques du corps au chaud et au froid. C'est plaisant, et cela peut même se révéler inoubliable (surtout en plein été) quand on pousse la technique un peu plus loin, par exemple, en associant une fellation avec une dégustation de glace à la vanille, ou, pour ne pas faire de jaloux, en se faisant offrir par son chéri un cunnilingus au sorbet au citron vert. En plus, quand vous ferez vos courses ensemble l'après-midi, vous y penserez en choisissant vos crèmes glacées. Déjà la température monte. Autre must du « cool sex », si vous voulez vraiment surprendre votre homme, la poche de glaçons (préparée à l'avance) sur les testicules au moment de l'orgasme. Cette expérience l'enverra (et vous avec) dans un « autre monde ».

Ritualisez vos amours

1. Les bonnes couleurs. Certaines couleurs (vêtements, décorations), certains éclairages sont susceptibles de stimuler le désir et de multiplier les orgasmes comme des petits pains. Toutes la gamme des rouge-orangé a des effets directs sur la physiologie de l'amour. Idem pour la lumière violette. Si vous n'avez pas les moyens d'éclairer vos amours avec une lampe à l'huile de castor (le must), une soie violette jetée sur votre Tizio fera l'affaire. Le noir a aussi ses vertus. Ça change des habitudes. On ne fait plus, ou presque plus, l'amour dans une obscurité plus ou moins totale. Dans le noir, le compagnon de vos jours redevient un inconnu. Tous les fantasmes sont permis. Dans le noir, votre rencontre d'une nuit reste (provisoirement) un inconnu. C'est mieux en cas de complexe ou d'inhibitions (sauf si vous avez peur dans le noir).

2. Les bonnes odeurs. Le désir a une odeur (libérée par les glandes apocrines sur les zones sexuelles, anales, les aisselles, le nombril), d'autant plus attractive et excitante qu'on est propre, débarrassé aussi bien des microbes et poussières qui s'accrochent à la peau, que des déodorants. Les déodorants sont des tue-l'amour. En revanche, certaines huiles parfumées sont des stimulants puissants pour nos désirs et nos plaisirs. Le cocktail idéal (on ne compte plus les couples qu'il a fait grimper au plafond) : jasmin sur les mains, musc sur le ventre et santal sur les cuisses.

Chapitre 9

♂

Devenir un « surmâle »

Avoir 30 % de sperme en plus

Plus de sperme, d'éjaculations explosives, moins de temps de latence entre deux rapports ? Facile. Commencez par vous déstresser. Après avoir analysé les éjaculats de 1 469 hommes âgés de 20 à 79 ans, des chercheurs canadiens de l'université de Calgary ont en effet découvert qu'un stress chronique pouvait diminuer jusqu'à 30 % la quantité de sperme émis. Conclusion du directeur des travaux, Philip Bigelow : faites toujours une pause (bonne bouffe, discussion, musique douce, massages) avant de vous jeter l'un sur l'autre.

Ce qui marche

- Faire l'amour tout le temps. Car « la fonction crée l'organe » ou, comme disent les Anglo-Saxons : *use it or lose it* (utilisez-le ou perdez-le). Plus souvent vous faites l'amour, plus votre sexe prend le bon pli, si l'on peut dire. Sexuellement en forme, vous avez confiance en vous et cela réduit d'autant votre temps de récupération entre deux orgasmes. Alors, évitez les interruptions de vie sexuelle. Masturbez-vous régulièrement chaque fois que vous êtes, pour une raison ou pour une autre, en panne de partenaire.

- Caresser son pénis. Après un orgasme, une nouvelle érection n'est en fait possible que s'il y a d'abord relâchement complet du pénis. Tant que celui-ci n'est pas totalement détendu, le sang ne peut affluer et le remplir. Les caresses légères, une fellation douce, lente, accélèrent le relâchement et réduisent d'autant le temps de récupération.

• Aller uriner. Même principe : en vous vidant la vessie, vous détendez toute votre zone génitale.

• Dormir quelques minutes. 25 % des hommes s'endorment toujours après l'orgasme. Normal : leur organisme en a besoin. Alors, si vous avez sommeil (on en a tous plus ou moins envie, mais souvent on n'ose pas), ne résistez pas : endormez-vous. Mais avant, demandez à votre compagne de vous réveiller cinq à dix minutes plus tard : vous serez en pleine forme pour recommencer.

• Changer de décor. Le principe est bien connu : plus on attend une chose, moins elle arrive. Alors, ne vous morfondez pas dans l'espoir de refaire vos forces plus vite. Bougez-vous (du lit au canapé, du canapé à la cuisine, de la cuisine à la douche...) : c'est l'un des meilleurs moyens pour redonner un coup de fouet à vos ébats.

• Pratiquer la relaxation. Vous êtes trop stressé, excité (pas sexuellement hélas) pour arriver à sommeiller : détendez-vous. Prenez votre partenaire dans vos bras, fermez les yeux et laissez-vous aller.

• Contracter ses muscles péniens. Au tout début d'un processus érectile, ces muscles (en anneau à la base de la verge) se contractent toujours légèrement avant de se relâcher et de laisser le sang affluer. En les contractant après un orgasme, vous détendez plus vite votre pénis et vous facilitez un nouvel afflux de sang dans la verge. Pour vous exercer, une technique simple : celle du « pipi-stop », la base de la gymnastique périnéale. Chaque fois que vous urinez, entraînez-vous à bloquer le jet, une, deux, trois fois de suite. En le faisant, vous apprenez à contracter les releveurs de l'anus : ce sont eux qui actionnent les muscles péniens. Quand on maîtrise parfaitement cet ensemble musculaire (certains yogis tantriques y arrivent), on peut même avoir une érection « sur commande ».

• Jouir sans éjaculer. La solution idéale – pas d'éjaculation = pas de temps de récupération –, celle qu'utilisent les tantrikas pour faire l'amour pendant des heures et multiplier les orgasmes. Comment parvenir à ce summum ? D'abord, se reprogrammer mentalement, dissocier dans son esprit orgasme et éjaculation (60 % des hommes font encore la confusion). On peut très bien éjaculer sans orgasme (c'est triste, mais ça peut arriver à tout le monde) et avoir un orgasme sans éjaculer (plus rare, mais beaucoup plus jubilatoire). En même temps, il s'agit de renforcer ses releveurs de l'anus : non seulement les muscles péniens permettent le pipi-stop, mais ils permettent aussi le contrôle de l'éjaculation (à condition de les contracter suffisamment tôt sinon, au contraire, ils la déclenchent). Ensuite, c'est une question d'entraînement. Chaque fois que vous faites l'amour, prenez l'habitude de les faire fonctionner. (Toutefois, au début, n'attendez pas d'être au bord de l'explosion : ils ne seront pas assez musclés pour l'empêcher.)

Chapitre 10

♂

S'initier au kung-fu sexuel

Incendiez votre « palais séminal »

Pour avoir plus de *jing* et stimuler tous vos organes sexuels, massez tous les jours vos testicules. Faites-le de préférence le matin. Le soir, vous pourriez avoir du mal, après, à vous endormir ou être tenté de faire l'amour ou de vous masturber, ce qui n'est pas le but du jeu. Debout, frottez les paumes de vos mains jusqu'à ce qu'elles soient chaudes, puis frottez vos reins pendant quinze à trente secondes. Respirez profondément et sentez l'énergie descendre vers vos organes sexuels. Frottez à nouveau vos paumes l'une contre l'autre et massez doucement chaque testicule pendant une minute. Ensuite, prenez vos testicules dans la main gauche (pour les garder au chaud) et avec la droite, massez en cercle (trente-six fois de suite, dans le sens des aiguilles d'une montre) votre abdomen au niveau du nombril. Changez de main et massez-le trente-six fois de suite dans le sens contraire. Pour finir, placez vos mains (la droite sur la gauche) en bas de votre abdomen, au-dessus de votre pénis. Cette zone, pour les taoïstes, est un centre d'énergie important, appelé le « palais séminal ». Normalement, si vous avez bien fait l'exercice, vous devez sentir une légère contraction dans le périnée et le pénis.

Renforcez votre puissance périnéale

Pour garder votre *jing*, « gymnez » votre périnée. Situé entre l'anus et les organes sexuels, le périnée est le point le plus bas du torse. Pour les taoïstes, c'est le point de rassemblement de l'énergie sexuelle (voir p. 78). Un périnée faible, et l'énergie fuit insidieusement par le pénis et par l'anus, un peu comme une roue de VTT qui se dégonfle sans qu'on s'en rende compte. Au contraire, un périnée fort garde l'énergie sous pression et garantit des érections plus « raides » et plus durables. « Gymnez » votre périnée, vous ne vous dégonflerez plus dans les moments (X) qui comptent. Frottez vos paumes l'une contre l'autre pour les réchauffer et couvrez vos yeux avec. Inspirez et détendez-vous, puis expirez en contractant vos muscles pubo-coccygiens, depuis l'anus jusqu'en haut de votre pénis. En même temps, « tirez » vos yeux vers l'intérieur. Inspirez, détendez-vous et recommencez cinq à six fois de suite. Pratiqué tous les jours, cet exercice fortifie votre puissance périnéale.

Tirez la langue

• La langue reptilienne : raidissez votre langue et projetez-la rapidement. Entraînez-vous à aller de plus en plus vite. Effets foudroyants sur le lobe de l'oreille, la pointe des seins et l'intérieur du vagin.

• La langue crochet : tirez la langue, pliez-la sur le menton et crochetez vers le haut. Excellent pour enflammer vulve et clitoris.

• La langue fouet : tirez la langue et fouettez l'air de gauche à droite et de droite à gauche. Entraînez-vous à claquer vite et fort et apprenez à votre copine à en faire autant : la langue fouet fait aussi beaucoup d'effet sur un pénis.

Respirez avec vos « stock options »

Encore plus d'énergie ? Pratiquez la « respiration testiculaire ». Ce vieux truc taoïste consiste à activer les énergies sexuelles profondes qui n'ont pas été stimulées. Asseyez-vous sur une chaise (vos testicules doivent pendre dans le vide), pieds par terre écartés à largeur d'épaules, mains posées sur les genoux, paumes vers le bas. Concentrez-vous sur vos testicules et respirez doucement en touchant votre palais (de la bouche, pas le séminal) avec le bout de votre langue. Inspirez lentement et tirez vos testicules vers le haut (sans les mains, vous devez sentir votre souffle les soulever), puis expirez et laissez-les redescendre avec votre souffle. Répétez cet exercice neuf fois de suite. Normalement, une fois bien rodé (cela peut prendre une à deux semaines), vous devez sentir une énergie froide (de la petite bise au bien frappé) émanant de vos testicules.

Massez-lui les seins

La princesse de vos nuits blanches est déjà une chaude ? Faites-en une chaude bouillante en lui massant les seins. Debout derrière elle, vous les recouvrez avec vos mains (frottez d'abord vos paumes l'une contre l'autre pour les réchauffer) et vous décrivez des cercles (une douzaine). Partez de l'extérieur, en descendant, et remontez entre les seins. Puis, changez de sens : à nouveau une douzaine de fois, en partant cette fois de l'intérieur et du haut pour descendre puis remonter par l'extérieur.

À ce stade, votre petite merveille est déjà comme une bombe (sexuelle) dégoupillée. Arrêtez vos mains, posez légèrement le bout des doigts sur ses mamelons... elle explose.

Embrasez son « palais ovarien »

Votre chérie est un peu tiède en ce moment (trop de taf, de soucis) ? Vous pouvez lui mettre le feu en massant ses ovaires (pour les paresseux, elle peut le faire elle-même). Localisation ? facile : demandez-lui de joindre ses pouces sur son nombril en formant un triangle avec ses deux index. Au point de rencontre entre ces derniers se trouve son palais ovarien. Elle écarte un peu ses index : vous êtes au-dessus des ovaires. Frottez le bout de vos doigts l'un contre l'autre pour les réchauffer et massez-la. Combien de temps ? Tout dépend d'elle. Normalement, elle doit au moins ressentir des sensations de picotement au bout de quelques minutes. Particulièrement réceptive, elle peut sentir ses ovaires s'échauffer et son désir s'enflammer.

Jouez au Millionnaire

Vous avez envie d'enchaîner les plaisirs, de multiplier les orgasmes ? Découvrez votre « point du Millionnaire ».

Une simple pression à cet endroit et vous pouvez jouir sans éjaculer, faire l'amour pendant des heures. Situé derrière les testicules, à mi-chemin de l'anus, mais un peu plus près, ce point n'est cependant pas très facile à localiser. Utilisez la méthode des trois doigts : joignez l'index, le majeur et l'annulaire, et explorez la zone. Vous sentez un petit creux au bout de votre majeur ? Bingo ! Vous avez trouvé votre « point du Millionnaire ». Après, ce n'est plus qu'une question d'entraînement : masturbez-vous et apprenez à bloquer votre sperme au moment de l'orgasme.

Gardez la tête froide

Le blocage de l'éjaculation étant rarement efficace à 100 % avec le « point du Millionnaire », misez sur les positions anti-explosion. L'idéal pour des rapports prolongés : elle (plus active) sur vous (plus passif). Autre technique, recommandée par les taoïstes, pour contrôler les flots : la méthode neuf contre un, c'est-à-dire neuf poussées courtes pour une poussée longue. Hyper efficace (essayez d'éjaculer en comptant, c'est franchement très difficile) et, de surcroît, extrêmement jubilatoire pour votre partenaire. Vous n'êtes pas sûr d'y arriver du premier coup ? Essayez la règle de trois : trois poussées courtes pour une profonde. Quand vous verrez à quel point elle aime, cela vous encouragera à faire des progrès dans la petite arithmétique du plaisir.

Du plaisir en plus

- Synchronisez vos respirations. Inspirez son souffle quand elle expire et vice versa (pendant les préliminaires et dans le feu de l'action) : cela vous fera tous les deux monter plus vite et plus haut.
- Fermez son anus avec le doigt (sans pénétration) quand vous pratiquerez le kung-fu de la langue sur votre chérie, cela décuplera toutes ses sensations.
- Repoussez avec le bout de votre langue le mamelon dans son sein et faites le tourner à l'intérieur. Les taoïstes appellent ça la langue foreuse : vrillant !

- Arrêtez de pousser quand vous êtes au bord de l'orgasme. Retirez-vous en ne laissant que le gland dans son vagin : cela le met en contact avec son point G.
- Avalez sa salive. La salive de votre princesse, poétiquement nommée le liquide de Jade par les initiés, a des vertus ultra aphrodisiaques. À consommer donc sans modération quand vous l'embrassez.
- Pour vous griser de ce nectar, sucez sa langue (pas trop fort) : elle salive d'autant plus de plaisir.

Chapitre 11

♂

Quelques secrets pour la faire décoller

Choisissez le bon moment

Outre, chez les femmes, le premier jour qui suit les règles et, surtout, la période d'ovulation (le quatorzième jour après le début des règles), ne manquez pas les « jours de l'orgasme » recommandés par la tradition tantrique : chaque mois, le huitième ou le quinzième jour après la nouvelle lune (le petit rond blanc dans le calendrier de votre agenda). À ne pas rater aussi, car très chaud paraît-il, le mardi suivant de huit ou quinze jours la pleine lune (le petit rond noir). Ça n'arrive que deux ou trois fois par an : à « stabiloter » en orange dans votre agenda, en croisant les doigts pour que votre compagne ovule un de ces jours.

Prenez-la comme un homme

Toutes les vraies femmes le disent : c'est le désir d'un homme qui les rend femmes, stimule leur propre désir et leur donne les plus beaux orgasmes. Alors oubliez qu'elle est une petite chose fragile (une idée de macho). Ne la laissez pas jouer les *executive women* au lit. Prenez-la doucement, mais fermement, comme un pro (vous savez ce que vous faites), pas comme un puceau (« et maintenant, je fais quoi ? »). N'hésitez pas à être directif, avec des mots, des gestes (vous savez ce que vous voulez). Tout ça est très sécurisant pour elle, et plus elle est rassurée (vous êtes un homme, un vrai), plus elle se lâche et plus elle s'éclate.

Cliquez la case « émotion »

Dans le cerveau féminin, la case « sexe » et la case « émotion » ne sont pas dissociées, comme chez nous. Le sexe pour le sexe, zéro émotion, ça leur procure (au mieux) des orgasmes médiocres. Alors, soyez tendre, caressez-la partout (et pas seulement ses zones érogènes), pendant et après (et pas juste pour les préliminaires). Montrez-lui que vous l'aimez, même si ce n'est pas la femme de votre vie, même si vous n'avez pas l'intention de dormir avec elle. Elle n'est pas dupe (enfin pas tout le temps), mais elle fait comme si. Elle a besoin d'être « cliquée émotion » pour s'ouvrir à des orgasmes intenses.

Ouvrez les ailes du papillon

On l'oublie souvent dans l'élan de la passion, pourtant, c'est la base d'un bon rapport sexuel : le contact direct entre clitoris et base de la verge. 60 % des femmes avouent qu'elles ne peuvent avoir d'orgasme sans stimulation clitoridienne, et 68 % reconnaissent qu'elles décollent de cette façon à tous les coups. Alors pensez-y : chaque fois que vous faites l'amour face à face, ouvrez délicatement les ailes du papillon et, au lieu de la pilonner bêtement, massez doucement son clitoris avec votre pubis.

Faites-lui la flamme

Héritage de la culture érotique japonaise, la flamme est une technique de sexe orale très délicate. Pas question de prendre votre compagne à grands coups de langue ou à pleine bouche. Au début, vous n'y touchez même presque pas : vous vous contentez d'ouvrir les ailes du papillon et de mettre à nu son clitoris. Le simple fait du contact avec l'air provoque souvent son érection. Puis vous soufflez doucement dessus, comme pour ranimer une braise. Ensuite, imaginez que votre langue est une flamme. Elle lèche par petits coups les ailes du papillon, s'approche du bouton, l'effleure, se retire... Progressivement, elle devient plus pressante. Comme le feu, elle mord dans les chairs vulnérables, la belle s'enflamme. Elle jouit, son clitoris perd son érection, stop ! Ne vous acharnez pas : ça pourrait devenir douloureux pour elle.

Privilégiez les postures de l'orgasme

1. La posture « femme en position supérieure allongée sur l'homme », un incontournable parmi les 529 positions du *Kama-soutra*, la Bible de l'érotisme hindou, Elle permet d'assurer (en écartant les lèvres vaginales) un excellent contact clitoris-verge. En balançant son bassin (d'avant en arrière, latéralement ou circulairement), elle peut stimuler elle-même ses zones de plaisir.

2. La « posture de la liane », le nec plus ultra de l'érotisme tantrique. La femme est assise sur l'homme, lui-même assis, et l'enserre des cuisses et des bras comme « la liane étreint l'arbre ». Dans cette position, le contact clitoris-verge est aussi bon que dans la précédente, mais en plus la pénétration est plus profonde. C'est la posture idéale pour passer quelques heures à « orgasmland ».

3. La posture de Grafenberg (le découvreur du point G). Dans cette position (très reposante), vous êtes emboîtés en « petites cuillères » (allongés sur le côté, la pénétration se faisant par derrière). Le point G (pas plus gros qu'une pièce de 1 euro) se situant dans la partie supérieure au fond du vagin, c'est la seule qui assure une bonne stimulation par le pénis. En plus, elle permet une stimulation manuelle du clitoris cuisses fermées (c'est souvent meilleur). Le cocktail pénis-point G-caresses clitoridiennes est habituellement explosif.

Et aussi...

- Extasiez-vous sur ses formes quand elle est nue. 80 % des femmes se disent complexées par leur corps.
- Faites-lui l'amour dans le noir, souvent elle n'a plus l'habitude. La nuit, tous les chats sont gris : elle peut vous prendre pour Mel Gibson ou une bête (de sexe).
- Massez son périnée (entre l'anus et le vagin) avec du baume du tigre avant de lui faire l'amour. Beaucoup de

nerfs sont situés à cet endroit : ça lui fait des chauds-froids hyper stimulants. Mais attention à ne pas en mettre sur ses muqueuses (trop brûlant comme sensation).

• Mordillez son lobe d'oreille : une zone toujours sexuellement hyper sensible.

• Prenez-la en tenaille sous les bras, vos pouces appuyant sur les muscles en haut de ses seins : une zone souvent très réactive, parce que de nombreux pères soulèvent de cette manière leur gamine.

• Utilisez des préservatifs à reliefs. Quand on ne peut pas s'en passer, autant en faire un jeu et un plus.

• Pressez son anus (il se contracte à répétition quand elle a un orgasme) ou glissez-y un doigt (plus ou moins profondément) au moment crucial.

GÉRER SES RELATIONS AVEC LES AUTRES

Chapitre 12

Hommes, femmes : sommes-nous vraiment égaux ?

Les hommes dopés à la testostérone ?

Avec un taux de testostérone vingt fois plus élevé, les hommes sont plus agressifs, ont un esprit de compétition plus développé et un caractère plus aventureux. Une étude menée par le docteur Colette Chiland, psychiatre au centre Alfred-Binet, révèle que pour un cas de cruauté chez les petites filles, on en compte quinze chez les petits garçons. Entre 11 et 16 ans, le risque d'accident (domestique, scolaire, sportif...) est deux fois plus élevé chez les garçons. Entre 15 et 24 ans, ils font six fois plus de chutes mortelles, ont quatre fois plus d'accidents de la route et se suicident trois fois plus.

Dans le même registre, les trois quarts des consommateurs (réguliers ou occasionnels) de drogues et la majorité des gros buveurs et fumeurs sont aussi des hommes. Dans un autre domaine, la testostérone expliquerait également nos comportements sexuels différents (dans toutes les espèces, les mâles font preuve d'un appétit sexuel plus grand que les femelles) et une bonne partie de la créativité masculine. Par exemple, les fabricants de jouets ont constaté que lorsqu'on présente un prototype à des petits garçons, ils inventent de nouveaux usages, tandis que les petites filles l'utilisent dans sa fonction initiale. Secrétant moins d'adrénaline (car moins de testostérone), les femmes ont, en revanche, une meilleure résistance au stress ; elles sont moins tendues (quatre fois moins d'ulcères, par exemple) et moins agressives. Explication des anthropologues : dans la Préhistoire, la survie de nos ancêtres dépendait de la rapidité des mâles à faire face (à un mammouth, à un autre hominien, à une catastrophe aérienne...).

Aujourd'hui, même si l'homme se sert plus de son cerveau que de ses muscles (pas tous), il a toujours le réflexe de s'énerver pour des riens. Cela a de fâcheuses conséquences sur son espérance de vie : 74,2 ans seulement pour les hommes contre 82,1 ans pour les femmes. Sur huit centenaires en France, sept portent des soutiens-gorge. Pas de doute : l'inégalité est flagrante. Mais ces messieurs sont, paraît-il, en train de rattraper (un peu) leur retard. Ils prendraient plus soin d'eux et feraient moins de bêtises... à voir. En tout cas, les chiffres ont connu une progression fulgurante ces deux derniers siècles (actuellement, on gagne quatre mois tous les ans) : sous la Révolution, l'espérance de vie moyenne des Français était de 28 ans. Or en 2000, il y avait 6 000 centenaires dans l'Hexagone contre 3 500 recensés en 1990 et seulement cinq en 1900.

Œstrogène, une hormone à risque ?

Les œstrogènes sont pour leur part responsables de nombreux particularismes féminins. Les femmes ont notamment une plus grande souplesse ligamentaire, mais aussi des vaisseaux sanguins plus fragiles, d'où un retour veineux moins efficace. Résultat : le sang stagne dans les veines et les dilate, entraînant jambes lourdes, et varices : 57 % des femmes (contre 26 % des hommes) souffrent de problèmes de circulation veineuse dans les jambes. Elles font également preuve d'une plus grande vulnérabilité aux maladies cardio-vasculaires, la première cause de décès (par infarctus ou accident vasculaire cérébral) des femmes devant les tumeurs cancéreuses.

À l'inverse, les hommes font 1,6 fois plus de tumeurs (poumons, trachée, bronches à cause du tabac, côlon et prostate) et en meurent plus fréquemment (90 000 décès par an en France contre 60 000 pour les femmes). Autre conséquence des œstrogènes : les migraines. Trois migraineux sur quatre sont des femmes. C'est la baisse du taux d'œstrogènes qui, déclenchant une brusque libération de sérotonine dans le sang, entraîne une hausse de la vascularisation dans le cerveau, et la douleur. La preuve : la répartition des migraineux est plus égale entre les deux sexes avant la puberté, et les crises de migraine sont plus fréquentes juste avant les règles ou lors de la ménopause. D'ailleurs, les migraines menstruelles (la veille ou le premier jour des règles) disparaissent quand on prend un médicament à base d'œstrogènes dans les sept jours précédant les règles. Perturbant la sécrétion de la sérotonine, le neurotransmetteur responsable de notre bonne humeur, les œstrogènes sont aussi soupçonnées, mais ce n'est pas prouvé, du plus grand nombre de dépressions féminines : deux tiers des déprimés sont des femmes (avec un pic vers l'âge de 38 ans), sans que l'on sache exactement pourquoi, ainsi que 85 % des patients atteints de dépression saisonnière.

En revanche, il est établi que l'hérédité peut jouer, mais cela ne concerne qu'une minorité de cas. Autre raison avancée pour expliquer cette inégalité devant la dépression : les femmes réagiraient aux problèmes « lourds » (familiaux, matériels, existentiels) d'une manière plus psychologique, les hommes sombrant plus volontiers dans l'alcoolisme, la toxicomanie ou la délinquance. Antidépresseurs, somnifères, neuroleptiques, anxiolytiques... elles sont plus nombreuses à consommer régulièrement des psychotropes (14 % contre 9 % des hommes).

Nous ne parlons pas la même langue

Autre inégalité, dans un cerveau d'homme, la fonction langage (comme celle du sexe) est distincte de la fonction sentiment. D'où le manque d'intérêt et les difficultés pour parler sentiments, et en général de tout ce qui touche à la sensibilité, à l'émotion. Les hommes seraient-ils des handicapés affectifs ? « Il faut avouer qu'ils ne sont pas très doués pour les émotions », affirme François Lelord (François Lelord et Christophe André, *La Force des émotions*, Éditions Odile Jacob, 2001), ce qui ne les empêche pas d'être plus bavards que les femmes. Toutes les études effectuées montrent qu'ils parlent plus facilement et plus longuement. Dans un contexte social, les hommes ont tendance à se limiter en général à la trinité sacrée – travail, sport, politique –, alors que les sujets abordés par les femmes sont plus nombreux et plus variés.

Deborah Tannen, une linguiste américaine, a montré que si les femmes lancent et entretiennent plus fréquemment les conversations, ce sont les hommes qui les contrôlent la plupart du temps : en leur coupant régulièrement la parole (jusqu'à 96 % d'interruptions), en grognant (pour manifester leur intérêt) ou en restant silencieux (afin qu'elles changent de sujet). Elle a aussi montré que les femmes expriment rarement leurs demandes d'une façon directe. Dans une relation, une femme a presque toujours tendance à négocier pour trouver un compromis. Cette attitude est incompréhensible pour un homme, plus habitué à s'exprimer de manière carrée. Il la ressent comme de l'indécision et, en général, il a beaucoup de mal à le supporter. Du coup, il tranche d'une manière unilatérale en pensant que c'est ce qu'on attend de lui, ce qui agace prodigieusement !

Une linguiste suisse, Edith Slembek, a d'ailleurs calculé que les femmes utilisent le conditionnel deux fois plus que les hommes et qu'elles emploient cinq fois plus d'expressions limitatives comme « éventuellement » ou « un peu ». Elles posent aussi trois fois plus de questions, ponctuent leurs phrases de « n'est-ce pas », ou ne les terminent pas, et s'excusent plus fréquemment. Du coup, leur discours, souvent perçu comme hésitant, est jugé peu important. Dans la vie à deux, les sociologues du couple observent qu'une femme parle plus, parce qu'elle a plus à dire et à demander. Elle tente plus souvent de parler de sa relation, mais la plupart du temps sans succès, son partenaire se débrouillant pour ne parler que de sujets neutres d'un point de vue émotionnel, affectif, qui n'impliquent pas sa relation. Résultat : il se réfugie fréquemment dans la fuite silencieuse (il n'écoute pas, il ne répond pas) et la défection secrète (il fait semblant d'écouter, de comprendre). Rien d'étonnant donc si les rapports hommes-femmes sont aujourd'hui si compliqués. Et, au vu de nos différences, il semble qu'il ne faille pas trop compter sur les hommes pour les rendre plus simples !

Chapitre 13

Les secrets de nos comportements sexuels

Doubler les spermes pour doubler les chances

Ne vous demandez plus pourquoi c'est si difficile d'être fidèle. Aujourd'hui, on a la réponse. Nous ne sommes pas « faits » pour la monogamie. La fidélité n'est pas naturelle. C'est même le contraire. Nous avons tous une sorte de « gène d'infidélité » qui nous pousse sans cesse dans

d'autres bras. La cause n'en est pas le plaisir, comme on le croit, ou l'insatisfaction (conjugale), mais une meilleure reproduction de l'espèce.

Chez les femmes, l'infidélité sert d'abord à mettre les spermatozoïdes en concurrence pour avoir les « meilleurs » gènes. C'est la théorie de la « compétition des spermes ». Baker et Bellis, deux biologistes anglais, ont notamment démontré que les femmes qui trompaient leur compagnon le faisaient plutôt en période d'ovulation. Ils ont aussi découvert que le « double accouplement » (deux partenaires sexuels différents en cinq jours) était plus fréquent autour de cette période. « Il se peut qu'un des objets de l'infidélité soit de laisser le sperme de plusieurs mâles se battre "à armes égales" dans l'utérus ; l'ovule aurait donc plus de chance d'être fécondé par un sperme combatif et résistant », commente Robert Wright.

On croyait qu'avec la contraception, la paternité était devenue plus sûre. C'est faux. Aux États-Unis, les examens sanguins effectués dans certaines zones urbaines montrent que plus d'un quart des enfants ont été conçus par un père autre que celui qui figure sur les registres de l'état civil. Rien que dans l'Amérique puritaine, 21 millions de femmes (40 % des femmes mariées) avouent entretenir une liaison. On imagine, en France, la « compétition du sperme »... On pourrait penser que l'infidélité féminine est « récente », liée à la libéralisation des mœurs et à l'émancipation des femmes. Pas du tout. Elle a une longue histoire. Les femmes ont l'habitude de copuler avec plusieurs hommes « afin de leur faire croire qu'ils sont tous susceptibles d'être le père d'un de leurs enfants ». Comme ça, elles protègent mieux ces derniers. Chez les primates, les mâles traitent généralement mieux les petits qu'ils imaginent de leur sang... et ils ont parfois la manie de tuer ceux des autres.

Chasseurs, bloqueurs, tueurs... les spermatos ont du boulot

Bêtement, on imagine que les spermatozoïdes sont tous pareils, tous obsédés par la course à l'ovule. En réalité, « une armée de spermatozoïdes est un ramassis de personnages beaucoup plus disparates que la plupart des gens ne le croient ». Dans le sperme, il y a des grosses têtes, des petites, des têtes d'épingle, des rondes, des difformes, et puis, il y a aussi des monstres à deux ou trois, voire quatre têtes. Évidemment, tous ne jouent pas le même rôle. Il y a les chasseurs d'œuf, bien sûr, mais aussi des tueurs spécialisés dans la recherche et la destruction des spermatozoïdes d'un autre homme, ainsi que des bloqueurs, pour empêcher tout sperme étranger de gagner l'utérus. Il y a même des spermatozoïdes de planning familial susceptibles, dans des conditions de stress, d'éliminer les chasseurs d'œuf de leur propre armée. Une armée qui compte environ 500 millions de tueurs et 100 millions de bloqueurs pour seulement 1 million de chasseurs d'œuf. Automatiquement, un homme est capable d'envoyer sur le front une quantité et une proportion chasseurs-bloqueurs-tueurs différentes en fonction des circonstances.

Là où ça se complique, c'est quand un homme a le choix entre se masturber ou attendre les rapports suivants. « S'il attend les rapports suivants, il introduira dans sa partenaire une éjaculation qui sera composée de cellules bien éloignées de leur prime jeunesse, avec de trop vieux bloqueurs, de nombreux tueurs âgés et des chercheurs d'œuf presque gâteux. Mais s'il se masturbe et qu'il a ensuite une chance inopinée de rapport avec sa partenaire, à peu près une heure plus tard, il va introduire le fruit d'une éjaculation qui va manquer de bloqueurs » (Baker). Dans les deux cas, ce n'est pas vraiment l'idéal pour faire face à une éventuelle guerre des spermes.

Les femmes moins fidèles que les chimpanzés femelles...

Autre enjeu de l'infidélité féminine : accroître la quantité de sperme chez les hommes pour renforcer la concurrence. On croit que la quantité de sperme émise par un homme dépend seulement du temps écoulé depuis le dernier rapport sexuel. C'est faux. « La quantité de sperme dépend surtout du temps qui s'est écoulé depuis la dernière fois où il a vu sa partenaire. Plus ce délai est long, plus une femme a de chances de le mettre à profit "pour collecter le sperme d'autres mâles", plus son compagnon rassemble massivement ses troupes séminales pour faire face à une éventuelle concurrence. Les variations de densité du sperme sont à considérer comme un révélateur de l'infidélité féminine. »

Aujourd'hui, on mesure l'activité sexuelle des femelles d'une espèce, leur degré d'infidélité, au poids moyen des testicules des mâles de l'espèce. « En ce qui nous concerne, le poids des testicules se situe quelque part entre chimpanzé et gorille, ce qui laisse à penser, estime Robert Wright, que nos femmes, quoique sexuellement moins débridées que les chimpanzés femelles, sont d'un naturel quelque peu aventureux. »

... mais plus que les hommes

Bien qu'elles aient « moins de retenue sexuelle que beaucoup d'autres "espèces" », les femmes sont dans l'ensemble beaucoup plus fidèles que les hommes. La retenue sexuelle des femelles (par comparaison avec les mâles) est la règle dans toutes les espèces. C'est un « intérêt génétique », une question de prudence, parce que l'ovule est gros et rare chez toutes les espèces et donc précieux. « La femelle du serpent n'est peut-être pas très intelligente, mais elle l'est suffisamment, au moins inconsciemment, pour savoir qu'il est des mâles avec lesquels il n'est pas souhaitable de s'accoupler. » Un stratagème pour attirer les « meilleurs mâles ».

En faisant preuve de réserve, les femelles font monter les enchères. Les conseils des mères à leurs filles, comme quoi il ne faut pas coucher le premier soir (ni même le second), sont fondés « génétiquement ». Ce n'est pas seulement un principe moral. D'ailleurs, ça fonctionne. Des sociologues ont montré que plus une adolescente avait une vie sexuellement active, moins elle avait de chance de faire un bon mariage. La « retenue sexuelle » des femelles en général sert aussi à maximiser les chances. On a ainsi observé qu'en retardant la copulation (ou l'éjaculation), elles augmentent « la quantité de sperme retenue et donc les chances de conception ». Ne pouvant procréer qu'une fois dans l'année, les femmes sont particulièrement exigeantes dans le choix de leurs partenaires sexuels. Plus ou moins consciemment, elles cherchent chez un homme le meilleur rapport entre « de bons gènes et un solide engagement à long terme ».

C'est pour ça qu'elles sont souvent indulgentes sur la question de l'attirance physique. Elles pensent d'abord : « Pourra-t-il subvenir aux besoins des enfants ? » La vénalité supposée des femmes est en fait un calcul à long terme pour s'assurer de la transmission du capital génétique. « Quand les gens voient une belle femme en compagnie d'un homme laid, ils en déduisent automatiquement que celui-ci a soit beaucoup d'argent, soit une position sociale enviée. Les chercheurs se sont donné la peine de démontrer que cette déduction est souvent justifiée. » Autre limite à l'infidélité des femmes : les bébés. Quand une femme est enceinte, la « compétition du sperme » n'a plus lieu d'être, pas plus que le subterfuge qui consiste à multiplier les pères possibles pour s'assurer de la gentillesse de l'un d'eux. Celle-ci est, en principe, acquise, ou, de toute façon, c'est trop tard pour tenter (inconsciemment, bien sûr) de convaincre un autre homme qu'il est le père.

Les femmes pardonnent une infidélité, pas les hommes

Autre domaine où les intérêts génétiques sont différents : celui du « mariage ». La traîtrise qui menace les gènes d'un homme n'est pas la même que celle qui menace les gènes d'une femme. « Alors que la crainte naturelle de la femme sera de voir l'homme lui retirer son engagement, l'homme redoutera, quant à lui, de s'être engagé à tort. » D'où des réactions différentes face à l'infidélité.

La jalousie masculine se focalise sur l'infidélité *sexuelle*, qui jette un doute sur la paternité. Une femme se sent « plus menacée par l'infidélité *sentimentale* – c'est-à-dire par un attachement à une autre femme risquant d'entraîner une dispersion des moyens de subsistance ». Des psychologues évolutionnistes en ont fait la preuve. Ils ont branché des hommes et des femmes sous électrodes et leur ont demandé d'imaginer d'abord leur partenaire en pleine action avec un autre, ensuite, une idylle. Les hommes, quand ils imaginent leur chérie au lit avec un autre, ça les rend fous : bonds du rythme cardiaque équivalent à une injection de caféine, sudations intenses, crispations... En revanche, ils s'apaisent (enfin presque) quand ils imaginent un attachement sentimental naissant. Pour les femmes, c'est le contraire. Elles se retrouvent dans un état de profond désarroi physiologique quand elles imaginent l'infidélité affective.

Ces résultats confirment les observations des sociologues du « mariage ». « Les maris ont tendance à répondre à l'infidélité par la fureur et, même après un retour au calme, ils ont souvent du mal à envisager de poursuivre une relation avec l'infidèle. » Au contraire, les femmes, même quand elles réagissent violemment au moment où elles apprennent une infidélité, pardonnent plus facilement. Ensuite, elles font tout pour récupérer le « terrain » perdu. « La conséquence, à terme, est souvent une campagne d'auto-amélioration : perte de poids, maquillage soigné, bref, une entreprise de reconquête. »

Et l'amour dans tout ça ?

Bonne nouvelle : l'amour est aussi naturel que l'infidélité. Même le « couple à vie » semble inscrit dans nos gènes. On croit que l'« amour romantique » est une invention de midinette. On pense qu'on peut faire l'amour sans sentiment. C'est faux. Les anthropologues qui se sont sérieusement penchés sur la question ne sont pas d'accord. L'amour a un fondement inné. Nous sommes « programmés » pour créer des liens durables parce que c'est « mieux » pour améliorer les chances de l'espèce. La preuve que l'amour homme-femme est génétique, c'est que nous sommes devenus l'espèce dominante. Autre preuve : la constance du mariage et de la famille dans toutes les cultures. Partout, toujours, le mariage est la norme et la famille reste la base de l'organisation sociale. Le « couple à vie » est possible même si, dans le principe, les femmes aiment le mariage et les hommes pas.

Pour qu'un couple dure, il faudrait idéalement : prendre le temps de mieux se connaître (avant de coucher), épouser un ange (comme ils n'ont pas de sexe, on est sûr qu'ils sont fidèles), aller vivre à la campagne peu après le mariage (pour fuir les tentations), avoir des tripotées d'enfants (ça occupe), devenir accro au boulot (à condition d'éviter les voyages d'affaires) et sombrer dans une maladie très affaiblissante (ça renforce la co-dépendance). Irréaliste. Il vaut mieux se dire qu'il n'y a pas d'amour sans infidélité et ne pas en faire un fromage quand ça arrive.

Dans la collection FLASH, chez Marabout :

- Je parle anglais
- Je travaille en anglais
- Je parle espagnol
- Je travaille en espagnol
- Je parle italien
- Je parle allemand

- Quiz Histoire
- Quiz Géographie
- Quiz Arts
- Quiz Lettres
- Quiz Sciences
- Quiz Nature
- Quiz Sports
- Quiz Loisirs

- Sudoku
- Kakuro
- Testez votre QI
- Blagues à gogo
- On ne dit pas... mais on dit...

Composition et mise en pages : I.G.S.-C.P.
Imprimé en France par Imprimerie Hérissey
Dépôt légal : 69441 - Mars 2006 - N° 101249
ISBN : 2501-047-03-6 – 4096467/02